CW00406891

La memoria

399

Andrea Camilleri

Il gioco della mosca

Sellerio editore
Palermo

1995 © *Sellerio editore via Siracusa 50 Palermo*
e-mail: sellerioeditore@iol.it
1995 *Prima edizione «Il divano»*
1997 *Prima edizione «La memoria»*
2003 *Ventiduesima edizione*

Camilleri, Andrea <1925>

Il gioco della mosca / Andrea Camilleri. - 22. ed. - Palermo : Sellerio, 2003.
(La memoria ; 399)
ISBN 88-389-1387-0.
1. Detti e motti siciliani.
398.909458   CDD-20

CIP - *Biblioteca centrale della Regione siciliana*

Il gioco della mosca

La memoria aduna fantasmi e più su di essi si sofferma, più li rende immaginarii.

FRANZ BRENTANO

Il lettore non si faccia ingannare dall'ordine alfabetico col quale queste pagine si organizzano. Non ho inteso scrivere una sorta di dizionario delle sentenze, delle parole, dei mimi, delle parità, dei detti, dei proverbi in uso, o che erano in uso, dalle mie parti. Io ho raccolto alcune microstorie, anzi sarebbe meglio dire storie cellulari, e le ho rielaborate: le intitolazioni sono la conseguenza logica delle storie, la conclusione posta in testa e non in coda. La disposizione secondo l'alfabeto è solamente un'agevolazione alla lettura.

Il mio era un paese di terra e di mare. Aveva un hinterland abbastanza grande da potervi fare allignare i germi di una cultura contadina che s'intrecciavano, si impastavano con quelli di una cultura, più articolata e mossa, che era propria dei pescatori, dei marinai. Dal tempo della mia infanzia molte cose sono naturalmente cambiate, in meglio o in peggio non m'interessa, ma proprio perché cambiate rischiano di perdersi, di svanire anche all'interno della memoria. Che io abbia fermato alcune cose sul foglio non ha altro scopo che quello di stenografare un appunto d'uso personale: non vuole proporre paragoni, suscitare rimpianti.

Ho trascritto ad apertura di libro alcune righe di Franz Brentano, che fu maestro di Husserl, il padre della fenomenologia: e non sono altro che un alibi. Per me, dico: per quell'intervento dell'immaginario al quale ho spesso e volentieri agevolato la strada.

Ho cambiato, per quanto possibile, nomi, luoghi e situazioni, altro non ho potuto fare per evitare risentimenti e offese. Non posso però in coscienza affermare che le cose qui scritte appartengano esclusivamente alla mia fantasia. Molte, quasi tutte, mi vennero raccontate da coloro che sono i veri autori di queste pagine, i membri della mia famiglia, paterni e materni, che ho citati. Dedicarle a loro pare, allo scriba, atto di presunzione.

A.C.

A BADDRUZZA O' PAPÀ   La pallina al papà. A commentare un'azione che può apparire disinteressata, altruista, ma che in realtà è assai redditizia per chi la compie. Gnazio Spidicato faceva il contabile nello scagno di mio nonno che si occupava di commercio di zolfi. Aveva uno stipendio minimo, a casa l'aspettavano una moglie e cinque figli piccoli, di cui tre gemelli. Certamente doveva fare salti mortali per nutrire la numerosa famiglia e lui pubblicamente si vantava di farli, a destra e a manca raccontando come alla lettera si levasse il pane di bocca per darlo ai suoi, come il suo unico nutrimento fosse vedere i suoi familiari che mangiavano.

«E in allegria» aggiungeva. «Non faccio pesare il mio sacrificio».

«E voi come fate?».

«Niente. Mi basta una crosta di pane».

Cominciò ad essere in sospetto di santità. La devozione alla famiglia è giusta cosa ma ai livelli di cui narrava Spidicato assumeva i contorni di una quotidiana rituale immolazione. La storia andò avanti fino a quando Angelino Finocchiaro non si trovò a passare davanti alla finestra della cucina di casa Spidicato, che era a piano terra, proprio all'ora del pranzo. Quello che vide lo lasciò interdetto, però prima di spargere la voce, volle esserne sicuro tornando diverse volte a controllare la scena, che era sempre la stessa. Solo allora la raccontò a tutto il paese. Al momento del pasto Spidicato si sedeva a capotavola, la moglie stava in mezzo, i bambini tutti attruppati all'estremità opposta. Al centro della tavola c'erano cinque uova sode, una ciotola di verdura, sette fette di pane. Quando tutti erano pronti, Spidicato gridava:

«A baddruzza o' papà!».

Mentre la moglie prendeva la ciotola, una fetta di pane e cominciava a mangiare, i piccoli si alzavano, s'impadronivano di un uovo a testa, tornavano correndo ai loro posti, lo sbucciavano, separavano le chiare dai tuorli, allineavano perfettamente questi ultimi e poi, al «via!» di Spidicato, davano ognuno una schicchera al proprio tuorlo spedendolo in direzione del padre il quale lo agguantava e se lo mangiava, seguendo l'ordine di arrivo. Al primo che aveva fatto arrivare la pallina, la «baddruzza», Spidicato dava un grosso bacio in fronte. Il gioco divertiva molto i bambini, ai quali veniva lasciata la chiara da mangiare.

A BUTTANA DI SCIACCA   La puttana di Sciacca. Si era al tempo che il mio paese non si chiamava ancora Porto Empedocle ma Molo di Girgenti. In una gelida giornata di febbraio, pervenne una comunicazione al comando delle guardie locali secondo la quale alle ore venti, col postale proveniente da Sciacca, sarebbe arrivata una prostituta munita di foglio di via per il suo paese d'origine, all'interno della Sicilia. Si trattava dunque di prelevare la donna al momento dello sbarco, trattenerla in camera di sicurezza e il giorno dopo metterla su di un treno. Della faccenda venne incaricato Agatino, guardia scelta. Il postale, per il cattivo tempo, arrivò verso la mezzanotte. Siccome non era stata fornita nessuna descrizione della prostituta, Agatino pensò bene di accostarsi ad ogni donna che sbarcava, sollevare la lanterna all'altezza del suo viso e domandare candidamente:

«Siete voi la buttana di Sciacca?».

E venne duramente malmenato da mariti, padri, fratelli, cugini o semplici conoscenti delle donne così interpellate. Gli andò anche bene, perché dato il ritardo e il freddo, nessuno si accanì a pestarlo. Intontito e sanguinante si avvicinò all'ultima donna che stava sbarcando e le rivolse, con un filo di voce, la domanda.

«Sì» rispose la puttana.

Grato, mancò poco che Agatino le buttasse le braccia al collo. Poi la portò in camera di sicurezza ma provò pena per quell'essere intirizzito: per non metterla accanto agli altri passeggeri e per non creare tentazioni fra gli uomini dell'equipaggio, il comandante l'aveva fatta viaggiare sul ponte, allo scoperto. Accese un braciere ma non bastava. Non ebbe cuore di lasciarla sola e se la portò a casa, tanto non aveva nessuno cui rendere conto. Parlarono tutta la notte. La donna non partì il giorno dopo col treno, come avrebbe dovuto, rimase invece a casa di Agatino. Tre mesi dopo si sposarono, la guardia si dimise e principiò a fare il muratore. Ebbero figli chiari, che crebbero puliti di cuore e di mente, da fare invidia alle migliori famiglie «civili». Ed è per questo che il cognome di Agatino non l'ho voluto scrivere.

ACCUSSÌ, ACCUSSÌ, ACCUSSÌ   Così, così, così. Zi' Totò era uomo d'aspetto imponente, che parlava un suo personale italiano lentamente scandito, quasi da oracolo («L'avaria è un vizio brutto assai», «In Catania c'è un viale pieno di guercie»). Tra i suoi colleghi catanesi delle ferrovie godeva fama di uomo saggio, di ponderata e definitiva parola. Sua moglie, za' Pina, era una donna minuta, sempre in estatica adorazione del marito. Vennero a trascorrere un'estate in campagna da noi. Due giorni dopo ch'erano arrivati, mentre eravamo riuniti a tavola, za' Pina domandò al marito lumi su come scrivere una lettera alla sorella per un'intricata questione di eredità.

«Parliamone domani» disse zi' Totò «intanto ci penso».

Il giorno dopo, mentre stavamo mangiando, za' Pina chiese al marito se avesse riflettuto sul tono da dare alla lettera.

«Sissignora» fece zi' Totò nell'improvvisa attenzione degli astanti «tu ci devi scrivere così, così, così».

E tacque. Ispirata da quei tre «così», raggiante, za' Pina si alzò di scatto, pigliò carta e penna e corse a chiudersi in camera sua. La frase divenne parte integrante del lessico familiare. E quando qualcuno di noi domandava agli altri consiglio per cavarsela da qualche situazione complessa, la prima corale risposta immancabilmente era:

«Tu devi fare accussì, accussì, accussì».

ADDIFENDITI, RINARDU! Difenditi, Rinaldo! La battuta appartiene a uno di quegli aneddoti, veri o inventati, che si raccontano del mondo dei pupari, dei pupi e soprattutto del pubblico che un tempo assiduamente frequentava l'Opera dei pupi. L'episodio sarebbe accaduto al mio paese durante la rappresentazione del combattimento tra Orlando e Rinaldo, nel teatro di mastro Orazio. A un certo momento dello scontro, feroce ma leale, tra i due paladini, un incidente imprevisto fece sì che la spada di Rinaldo si spezzasse e questi venisse a trovarsi del tutto disarmato di fronte a Orlando. Per alcuni secondi il tempo in quel teatrino parve fermarsi: Orlando rimase con la durlindana alzata senza osare calarla sull'avversario, il pubblico trattenne il fiato, i pupari s'immobilizzarono nella disperata ricerca di una soluzione. E in quell'attimo sospeso, un coltello volò per aria, attraversò la saletta, s'infilzò vibrando sulle tavole del minuscolo palcoscenico mentre una voce gridava:

«Addifenditi, Rinardu!».

A lanciare il coltello era stato uno dei più fieri sostenitori di Orlando, e non di Rinaldo come si sarebbe potuto supporre: a riarmare Rinaldo, perché non si potesse mai dire che Orlando aveva bassamente approfittato della momentanea difficoltà del suo nemico. E questa battuta l'ho sentita fino a una ventina di anni fa, tra gente di una certa età, da due contadini o due pescatori che fra loro ragionavano: e uno dei due era pronto a fornire argomenti all'avversario che ne era a corto, per il gusto di discutere ad armi pari. E così il ragionamento, iniziato terra terra per il costo di un chilo di sarde o di fave, finiva per librarsi funambolicamente nelle sfere della dialettica pura.

AMMINCHIÀ CU PUPU   S'incaponì col pupo. Si dice che una persona «amminchia» quando si intestardisce su una posizione difficilmente sostenibile a lume di ragione. La festa di San Calogero tocca a volte, nel suo svolgersi, vette di autentico fanatismo, c'è gente che appositamente torna dall'America per potervi prendere parte. Ai lati del corso, nei giorni della festività, s'installano numerose bancarelle. Quando io ero bambino, ce n'era una che esponeva statuette del santo, fatte di cartapesta o di gesso, alcune avevano nella base posteriore la prominente imboccatura di un fischietto. Unico e insostituibile titolare della bancarella era zu' Cosimo, che del santo era più che fedele devoto. Una sera, mentre la festa era al culmine, davanti ci si fermò Luzzo Agrò.

«Belli questi pupi» commentò.

«Non sono pupi» rispose Cosimo.

«No?».

«No».

«E allora cosa sono?».

«San Calogeri».

«Però a forma di pupo».

Cosimo preferì non raccogliere ma Luzzo Agrò era un provocatore nato. Indicò con un dito una delle statuette:

«Quanto viene quel pupo?».

«Non è un pupo. Viene cinquanta centesimi».

«E quest'altro pupo qua?».

«Non è un pupo. Viene una lira».

«E questo pupo col fischietto?».

«Non è un pupo. Viene due lire».

«E questo pupo grosso?».

Cosimo non rispose, agguantò un bastone, saltò oltre la bancarella e mentre tentava di spezzarlo sulla testa di Luzzo Agrò a forza di legnate, gridava e gridava come un pazzo:

«Amminchià cu pupu! Amminchià cu pupu!».

Finì a «schifio», a rissa generale.

ANNACARI   Cullare, dondolare. È il metodo universale per convincere i piccoli al sonno, ma è altrettanto universale convinzione che una donna che si «annaca» tutta nel camminare, pubblicamente proclama la sua scarsa serietà. Per un uomo il discorso si fa più complesso. «Io domandai un favore al sindaco e lui mi annacò per un anno senza concludere»: mi illuse, mi cullò nella speranza, in definitiva mi prese in giro. Colui che dichiara di essere stato «annacato» (per una domanda di matrimonio, per la compera di un terreno o di una barca, per la riscossione di un credito), corre il rischio di autopatentarsi di stupidità o, nella migliore delle ipotesi, d'ingenuità. In ogni caso di «annacamento», la palma della vittoria spetta sempre a colui che ha saputo abbindolare l'altro. Nell'ufficio di un ministro siciliano, ho assistito alla scena di un postulante che perorava una sua causa davanti al ministro stesso e al suo segretario. Il ministro con molto calore promise di prendersi a cuore la questione. Accompagnato il postulante alla porta, il segretario (pure lui, manco a dirlo, siciliano) tornò indietro.

«Che dobbiamo fare?» domandò. «Ci occupiamo subito della cosa o annachiamo il bammineddru?».

«Annachiamolo tanticchia, un poco» decise il ministro.

Ora è da notare che «bammineddru», bambinello, dalle nostre parti si dice solo di Gesù Bambino e non di un bambino qualsiasi, perché allora verrebbe chiamato «picciliddru», «carusu», «addrevu». Quel «bammineddru» stava a significare il rito sacrale della raccomandazione politica, dai tempi lunghissimi se non corroborato da forti indulgenze quali lo scambio dei favori o l'offerta di un considerevole numero di voti.

A PASSATA DO PALERMITANU   Il fatto (o l'avventura) del palermitano. Quale fosse il fatto del palermitano, vanamente tentava di spiegarlo ai miei concittadini Totuzzo, che era lo scemo che ogni paese possiede. Totuzzo per di più era balbuziente e l'unica cosa che si riusciva a capire dal suo intermittente e disastrato discorso era che il palermitano le aveva passate e patite tutte. A rendere il fatto ancora più incomprensibile, c'era l'abitudine di Totuzzo di chinarsi di scatto mentre parlava, pigliare da terra una pietra e scagliarla su coloro che lo stavano a sentire. Certe volte l'atto di prendere la pietra e di lanciarla era solo una finta ma l'effetto sui presenti era lo stesso, e allora lo scemo si metteva a ridere di un riso stridulo, acutissimo, che metteva in agitazione i cani. Venne in uso così dire che si trattava della «passata del palermitano» quando arrivava una tassa inspiegabile, un'ingiunzione inattesa, un certificato delirante. Come accadde a un mio amico che, avendo richiesto l'estratto del casellario giudiziale, gli risultò una condanna a cinque anni di carcere, comminata vent'anni prima che nascesse. Il mio amico ci rise sopra e pensò che avrebbe risolto tutto mostrando l'atto di nascita: non fu così, ci volle circa un anno per convincere la burocrazia che un uomo non è in grado di commettere reati vent'anni prima del suo concepimento (o forse sì, ma comunque sarebbe elegante questione non per burocrati ma per teologi). Tano Brucculeri era un giovane che mai era uscito dal paese e dovette recarsi a Roma, verso gli anni quaranta, per una storia di lavoro. Partì per la capitale in treno, ma a Napoli due poliziotti lo fecero scendere, l'ammanettarono, l'obbligarono a trascorrere la nottata in commissariato, lo misero su un altro treno, lo fecero arrivare a Trieste, lo tennero in cella di sicurezza, lo picchiarono, gli fecero cadere tre denti, lo rimisero in treno, lo condussero a Milano, lo ripicchiarono, gli spaccarono una costola, lo mandarono sempre ammanettato e scortato a Genova, lo chiusero in carcere e se lo scordarono. La famiglia riuscì miracolosamente a rintracciarlo, si appellò a un pezzo grosso. Uscì in libertà dopo due mesi: si era trattato di un banale equivoco, così si scusarono alla questura. Tornò distrutto in paese, e a chi gli domandava cosa fosse successo, Tano Brucculeri rispondeva:

«Non ci capii niente. So solo che ho passato la passata del palermitano».

A PINSIONI EVA   La pensione Eva. Era la casa di tolleranza del mio paese, e così la denominava un floreale cartiglio sopra il batacchio del portone eternamente semichiuso. Sapevo cos'era una pensione, l'avevo chiesto a un mio cugino grande che frequentava l'università a Palermo: era qualcosa di meglio di una locanda e qualcosa di peggio di un albergo. Al mio paese c'era una locanda (di alberghi manco a parlarne) frequentata da commessi viaggiatori e da marinai di passaggio: era un posto animato, caratterizzato da un continuo viavai. Ma allora perché la pensione Eva, ai margini del paese, proprio sul molo, come intonacata di fresco, con le persiane luccicanti di verde sempre chiuse, non presentava di giorno alcun movimento? Era questa la domanda che mi ponevo quando guardavo quella casetta a due piani, linda, aggraziata, coi fiori sui davanzali, che proprio pareva la casa delle fate buone. Avevo sei anni e poco dopo andai alla prima elementare. Alle mie domande sulla pensione Eva, i miei compagni, figli di pescatori, esaurientemente risposero, entrarono in dettagli. Solo che io non ci capii niente. Così un giorno, passando davanti alla pensione, domandai a mio padre che mi teneva per mano:

«Papà, è vero che dentro questa casa si affittano femmine nude?».

Era tutto quello che ero riuscito ad afferrare delle spiegazioni dei miei compagni.

«Sì» rispose mio padre.

«E che se ne fanno?».

«Se le talìano, se le guardano» disse mio padre.

La risposta mi parve esauriente. Lo sapeva Iddio la voglia che già mi rodeva di sollevare le gonnelline alle mie compagnucce e vedere quello che avevano sotto. Quando, qualche mese dopo, il gioco del dottore praticato con una cuginetta mi rivelò dolcissimi orizzonti di conoscenza, i «grandi» che andavano alla pensione Eva per poter guardare con tutto il comodo le femmine nude ebbero la mia incondizionata e invidiosa approvazione.

A RISATA DO ZU' MANUELI QUANNU PIRDÌ U CAICCU   La risata dello zio Emanuele quando perdette la barca. Si usa dire di persona che ride della disgrazia altrui, senza sapere che di quella disgrazia in qualche modo ne sarà pure lui vittima. Il modo di dire nasce da una storia vera: il 15 luglio 1872 si scatenò un temporale estivo di proporzioni mai viste, e i pescatori corsero al porto per cercare di salvare le loro barche. Ma non ce la fecero, una ad una le barche, rotti gli ormeggi, venivano trascinate al largo. E fin qui, poco danno: le imbarcazioni si sarebbero potute recuperare sul far del giorno. Ma c'era da evitare una barriera di scogli: alla luce frequente dei lampi, i pescatori videro con sollievo le barche superare quasi tutte l'ostacolo. Un caicco invece non ce la fece e andò a schiantarsi sugli scogli.

Quando della barchetta non rimasero a galleggiare che pochi rottami, zio Manuele Mandracchia scoppiò in una lunga e fragorosa risata.

«Ma che avete da ridere?» domandò un pescatore un poco risentito.

«Rido» rispose zio Manuele «perché penso alla faccia del padrone domani mattina, quando si accorgerà che la sua barca è sparita nel nulla».

E puntualmente, alle prime luci dell'alba, zio Emanuele fece l'amara scoperta che a sparire nel nulla era stato proprio il suo caicco.

ASSUMARI COMU A TURIDDRU AIOLA CU CULU CHINU DI TRIGLIOLA   Venire a galla come fece Salvatore Aiola con il sedere pieno di trigliette. Così si dice di un uomo particolarmente fortunato, per il quale anche una disgrazia può tramutarsi in guadagno. Questo leggendario Salvatore Aiola non so se sia realmente esistito o abbia avuto nome solo per necessità poetica, di rima (per quanto ci siano degli Aiola dalle mie parti). Ad ogni modo si narra che era nato quarto figlio di una famiglia di cupa povertà, che viveva di stenti in un «pagliaru», una capanna fatta appunto di paglia. Appena svezzato, un incendio lo rese orfano e privo di fratelli. Una pietosa signora letteralmente lo raccolse e gli assicurò tetto, letto e quotidiano nutrimento (cosa altamente improbabile se avesse continuato a campare con i suoi, o meglio se i suoi avessero continuato a campare con lui). Morta la signora, Salvatore venne cacciato da casa dagli eredi che però gli misero in mano qualche lira per sopravvivere. Com'era scritto nel suo destino, Salvatore alcuni giorni dopo fu derubato. Non ebbe nemmeno il tempo di disperarsi: i ladri vennero arrestati e Salvatore dichiarò alle guardie di essere stato rapinato di una somma tre volte superiore a quella vera. Le guardie gli credettero e gliela diedero, sottraendola dalla refurtiva recuperata. A diciott'anni la carrozza di un ricco signore lo travolse e ne ebbe una gamba spezzata. Il signore lautamente lo risarcì e Salvatore poté comprarsi una barca con due soci. Dalla quale un giorno appunto cadde in mare, salvandosi a stento.

Ma tra i pantaloni e il sedere, chissà come, rimase imprigionato un chilo e passa di scodinzolante trigliola, pesce saporitissimo e pregiato.

BACCHI-BACCHI   Bac. Bac. Nome di derivazione araba di una strada di Agrigento e nome di un personaggio della *Nuova colonia* di Pirandello. Girgentino (Girgenti si chiamava la sua città dal tempo dei Normanni, e prima era stata Kerkent con gli arabi, Agrigentum con i romani e Akragas con i Greci, poi Mussolini decise una volta per tutte che assumesse nome romano) ed empedoclino allo stesso tempo, Pirandello usava saccheggiare nomi di luoghi e di cose, oltre naturalmente a nomi e cognomi tipici dei luoghi, per battezzare le sue creature. Si è anche impadronito di «ngiurie», che da noi non sono offese ma soprannomi e nomignoli, facendoli diventare cognomi: e vale per tutti Rosario Chiarchiàro della *Patente*. Il chiarchiàro è luogo impervio, desolato di sassi e di saggina: soprannome ideale per uno jettatore. Ma attenzione: certi cognomi possono sembrare inventati e non lo sono; è il caso di Tararà, famiglia di pasticceri, o di Zifara (nella terra di don Lollò, proprio quello della *Giara*, andavo bambino a rubare ceci verdi). Assai curioso però è il caso della *Nuova colonia*: i nomi dei personaggi sono nella quasi totalità soprannomi in uso nelle nostre parti. Dia significa tanto bella quanto maga; Spera può essere l'aureola o l'ostensorio (e ricordarsi come in didascalia Pirandello spieghi in che modo la donna usi mostrarsi ai clienti); Crocco è il gancio; Papìa è uomo sciocco; Fillicò è nessuno, un'ombra (e «andare da Fillicò» significa non andare in nessun luogo); Burrania è ottima erba, acidula, per insalata; Trentuno è accanito giocatore di carte; Ciminudù è composto da due parole, cimino e dolce, cioè il sesamo; Osso di seppia lo si dice per un uomo magrissimo; Quanterba è il modo di dire della maschera popolare Giufà quando vede soldi; Riccio è quello di mare, spinoso fuori e dolce dentro; Filaccione deriva da filaccio, pezzo di gomena sfilacciata; Pallotta è creatura piccola e grassa; Tobba viene da toppa (e quante volte Pirandello insiste sul vestito pieno di toppe del personaggio) e da Tobia, uomo paziente. Di Bacchi-Bacchi abbiamo detto: sta per uno che abita in quella via. Un personaggio-chiave ha però nome di persona realmente esistita: Currao, colui che invita i diseredati ad andarsene sull'isola disabitata a crearvi la colonia nuova, terra che nuovamente verrà inghiottita dalle acque. L'isola di cui Pirandello parla è la Ferdinandea, apparsa al largo di Sciacca e risprofondata in mare dopo pochi mesi. Si chiamava appunto Giovanni Corrao, comandante della «Teresina», colui che il 10 luglio 1831 assistette al terrorizzante fenomeno tellurico e lucidamente si rese conto che era testimone della nascita di un'isola vulcanica. E giacché ci siamo, a proposito di onomastica: la moglie di Pirandello di cognome faceva Portolano, e non Portulano, come più volte mi è capitato di leggere.

BOTTA D'ACITU, BOTTA DI SALI, BOTTA DI VILENU, BOTTA DI SANGU   Colpo d'acidità, colpo di sale, colpo di veleno, colpo di sangue. Si tratta di quattro maledizioni («gastime») che si scagliano, una per volta, contro un offensore o un avversario. Seguono precisa gerarchia di gravità e perciò vanno esattamente dosate in rapporto al danno subìto. Per qualcosa di leggero, veniale, si augura la «botta d'àcitu», una nottata di acidità e pesantezza di stomaco. Qualcuno invece di «àcitu» dice «acìtu», e sbaglia. Perché l'aceto serviva, a quanto pare, a certe vecchiette palermitane per preparare veleni letali. Ben più seria è la «botta di sali»: si invoca una malattia al fegato che renda all'avversario tutti i cibi amari appunto come il sale. La «botta di vilenu» non deve necessariamente risultare mortale ma è sottinteso che l'oggetto della maledizione, qualora si salvi con qualche «contra» (antidoto), dovrà restarne debilitato per tutta la vita. La «botta di sangu» è maledizione che postula malattia inguaribile, lo sbocco di sangue ha da esser conseguenza almeno di tisi galoppante. Per avere reale efficacia, la maledizione deve essere commissionata a una «magàra», una fattucchiera. Notissima in tutta la provincia era la za' Pitrina: i suoi filtri d'amore irresistibili, le sue fatture infallibili. A lei si rivolse la signora Petrella perché facesse venire al marito una bella «botta d'àcitu» della durata di almeno una settimana allo scopo di tenerlo lontano per un poco dalla giovanissima amante. Za' Pitrina eseguì. Durante la nottata il signor Petrella ebbe una tale «botta d'àcitu» da lasciarci la pelle. Le guardie scoprirono che era stato avvelenato dalla moglie e che questa aveva coinvolto za' Pitrina per farsi un alibi o per far ricadere su di lei la colpa. E quest'ultima fu la verità adottata da tutto il paese, e contro ogni evidenza: la signora era innocente, a uccidere il signor Petrella era stata la «magàra» che aveva scambiato una «botta» per un'altra. Da quel momento la fortuna della za' Pitrina colò a picco.

CALATINA   Companatico. Così chiamata forse perché aiutava il pane a «calarsene» giù. Ho memoria di calatine composte da un uovo sodo che veniva infilato in bocca e riestratto integro in modo da dare alla lingua e al palato solo un leggero sapore, quanto bastava per mangiarsi una fetta di pane, oppure di una sarda salata appesa al filo di una canna e leccata dondolante tra un boccone e l'altro. Mio nonno ai suoi lavoranti usava dare una ciotola di «caponatina»: melanzane, sedani e capperi cotti nel sugo di pomodoro e accompagnati da qualche goccia d'aceto. Saporitissima, certo non altamente nutriente, ma il pane se ne calava che era una bellezza. Tino Ciotta, apollineo figlio di poverissimi contadini a giornata, fece innamorare la figlia di don Sasà, ricchissimo proprietario terriero. La figlia di don Sasà smosse le umane e divine cose pur di potersi maritare col suo Tino, e finalmente ci riuscì. Si chiamava Fana, ed era una nana baffuta, sgraziata, imperiosa e manesca. A un anno dal matrimonio giunsero all'orecchio di don Sasà voci che il genero, ormai ricco, sia pure con molta discrezione si dava alla bella vita. Don Sasà lo chiamò nel suo scagno e l'affrontò:

«Mettiamo subito le cose in chiaro» esordì. «Mi risulta che tu hai delle amanti».

«Vogliamo scherzare? Io non ho amanti».

«E quella femmina che tieni a Girgenti all'albergo Pace non è la tua amante?».

«Quella? Amante?! Ma quale amante, quella è la calatina per farmi inghiottire ogni giorno quel tozzo di pane duro che è la figlia vostra».

CECÈ   Diminutivo di Vincenzo. Cecè è il protagonista dell'omonimo atto unico di Pirandello, magnifico ritratto di un giovane scavezzacollo, estremamente simpatico, sfacciatamente gaglioffo, che riesce a godersi e a turlupinare la donna più bella e più contesa di Roma. Il mio bisnonno materno Giuseppe aveva una villa ad appena due chilometri dal paese, attrezzata con biliardi, pianole, cavalli, carrozze, cappella consacrata, cucina enorme e cuoco all'altezza. Aveva un patio dalle mura molto alte (buono per i duelli) e una «passeggiata» di mezzo chilometro, cioè un viale sormontato da archi di ferro che sorreggevano intelaiature interamente coperte di roselline bianche. Ai due lati del viale alberi da frutta, arance, limongelli, mandarini, enormi macchie di gelsomino d'Arabia. Era la meta preferita di celebrità paesane e girgentane, come Nicolò Gallo, avvocato, professore d'estetica e ministro della Pubblica Istruzione, i notissimi avvocati Xerri e Fiandaca, Giuseppe Malato, futuro sindaco e uomo politico e tanti altri. Quando io raggiunsi l'età della ragione, la villa era già in decadenza, la mia famiglia era stata travolta nella rovina economica assieme ai Pirandello e ai Portolano (Antonietta Portolano si era maritata con Luigi Pirandello). Ero già sposato e padre di figli e da tempo a Roma facevo il mio mestiere di regista, quando, tornato un'estate a trovare gli zii che ancora abitavano la villa, mi accorsi che il lampadario in ferro battuto del salone era assai pregevole (succede così con le persone e le cose che si hanno da sempre sotto gli occhi, arriva il momento che finalmente si «vedono»). Mia zia Elisa colse il mio sguardo interessato:

«È bello, vero? Lo regalò al nonno Pepè Malato, che poi Pirandello in teatro fece diventare Cecè».

«Ma che dici?!».

«Non lo sapevi? Giuseppe Malato, che tutti chiamavano Pepè, raccontò a Pirandello una cosa che gli era capitata e Pirandello ci fece sopra una commedia, solo che, per rispetto, cangiò il nome di Pepè in Cecè».

Della cosa mi informai con un superstite amico di Pirandello, un medico, che mi confermò ogni particolare: Pepè Malato, uomo di straordinaria simpatia e prestanza (quanto gli deve il «bellissimo Cecè» di Tòfano?), sindaco del paese, usava di tanto in tanto trasferirsi a Roma per frequentare quella che, da Fellini in poi, si chiama la dolce vita. Ne aveva combinate tante, e una in particolare aveva ispirato Pirandello. La conferma dell'equivalenza Cecè-Pepè produsse in me un subitaneo turbamento, al ricordo improvviso di un fatto accaduto almeno vent'anni prima. Si era nel 1943, gli americani erano appena sbarcati e noi ancora pativamo in Sicilia la mancanza di tante cose, anche di vestiario. Le camicie venivano confezionate, così come gli indumenti intimi, con seta ricavata dai paracadute, gli abiti erano stati tutti risvoltati ma non riuscivano a nascondere l'usura. Un giorno, nella casa di campagna del mio amico Ciccio, nel tettomorto, il solaio, dove ci eravamo recati a cercare vecchie riviste, trovammo un grande baule sul quale era incollato un foglietto: «abiti di Pepè Malato». L'aprimmo e dentro scoprimmo, conservati in perfetto stato, vestiti di ricca e morbida stoffa inglese. L'indossammo, ma ci stavano troppo larghi. Richiudemmo il baule dopo esserci appropriati di un panciotto a testa. E quel panciotto, facilmente adattato alle mie misure, io lo portai per circa tre anni. Ecco, senza allora saperlo, avevo indossato un capo di vestiario del personaggio di Pirandello. Molto tempo dopo venni chiamato a dirigere *Cecè* in televisione. Lo spettacolo andò in onda e uno scrittore, critico televisivo del «Corriere della Sera», di quel testo, per una sua svista inspiegabile (o facilmente spiegabile con l'ignoran-

31

za) me ne attribuì la paternità. Stroncandomi come autore (trovò il linguaggio invecchiato, la situazione infantile) e salvandomi come regista: anzi volle sottolineare la drammatica situazione di un regista che riesce a salvarsi malgrado il pessimo testo da lui stesso scritto. Evidentemente, ma non lo sapeva, per borgesiana circolarità, stavo pagando lo scotto di avere indossato un indumento di Cecè, di essermi in qualche modo pirandelliano identificato con un personaggio, così da poterne diventare, agli occhi di un terzo, l'autore.

CHI NICCHI E NACCHE   Intraducibile. Si dice per un discorso o una situazione che non sta né in cielo né in terra. Usata in tutta la provincia di Agrigento, l'espressione trovò forse applicazione perfetta un sabato sera del 1936.

Il federale De Magistris, del resto obbedendo a ordini dall'alto, per concretamente dimostrare come il fascismo fosse interclassista, fece la bella pensata di organizzare una serata danzante al mio paese, nella palestra di una scuola, e invitò ricchi e poveri, avvocati e scaricatori del porto, commercianti e spazzini, medici e pescatori. Con rispettive signore, s'intende. Nessuno osò declinare quell'invito che aveva il tono di un ordine. Nella palestra, addobbata con festoni e bandiere, si operò subito una sorta di selezione naturale: i borghesi si aggrupparono da un lato e i proletari in quello opposto e tutti coi musi lunghi, a nessuno andava di mescolarsi in un ballo interclassista (e meno di tutti, a onor del vero, ai proletari). Accolto dalle note di

«Giovinezza» suonate da una volenterosa orchestrina, arrivò il federale e subito, sbrigativamente com'era nello stile dei gerarchi dell'epoca, diede inizio alle danze, andando ad invitare una donna del popolo. Si trattava, per sua disgrazia, della gna' Rosina Trupìa, donna di servizio a ore, nota in tutto il paese perché amava parlare latino, non quello di Cicerone. Da noi parlare latino significa non avere peli sulla lingua. Gna' Rosina guardò freddamente il federale in uniforme che davanti a lei stava a metà piegato nell'inchino e proruppe a voce altissima:

«In prìmisi in prìmisi 'un sacciu abballari, e po' chi nicchi e nacche abballare cu vui?».

Il federale capì senza bisogno di traduzione (e non credo occorra nemmeno ai miei lettori). Poco dopo, con molti «alalà», la festa si sciolse.

CHIOVIRI A ASSUPPAVIDDRANU   Piovere a inzuppa contadino. Sono le gocce che cadono rade e leggere, tali da non poterle veramente definire pioggia. E perciò il contadino, «u viddranu», sotto quell'acqueruggiola continua imperterrito a fare quello che in quel momento sta facendo, potare, sarchiare, seminare, rincalzare, magari se a sera rincaserà bagnato fino al midollo. Un «viddranu» che lavorava la terra di mio nonno, Zu' Minico, e che da piccolo mi affascinava raccontandomi storie fantastiche e storie di briganti, lo vidi un giorno zappare sotto un temporale improvviso, tranquillo e fischiettante. Al mio invito a mettersi al riparo:

«Ci fici u caddru» mi rispose.

33

Ci ho fatto il callo, l'abitudine. A forza di sopportare la pioggerellina, si era mitridatizzato contro il temporale, la tempesta, il ciclone, lo stesso diluvio universale.

CU AVI A MANNARI TRUSCITEDDRI O 'MBERNU, MURÌ U PARRINU ARNUNI Chi deve mandare fagottini all'inferno, è morto padre Arnone. Commento che si faceva nell'apprendere la morte di una persona che aveva passato la vita ad agire male. I quattro fratelli Arnone erano giganteschi di statura e dotati di leggendario appetito. Tre badavano alla terra, l'ultimo, e non si capì mai perché, volle farsi prete. Vivevano in un paese abbastanza distante dal mio ed erano lontani cugini del nonno. Mia nonna materna mi raccontava che una sera a casa sua si presentarono i tre fratelli che chiesero ospitalità fino al giorno seguente. Prima di andare a letto, mia nonna domandò al marito cosa avrebbe dovuto far preparare per colazione la mattina dopo ai cugini.

«Fagli fare dodici uova sode con tre chili di pane».

Mia nonna stentò ad addormentarsi, com'era possibile mangiarsi quattro uova e un chilo di pane a primo mattino? Poi pigliò sonno. A un tratto si sentì scuotere dal nonno che preoccupato precisava:

«A testa! A testa! Dodici uova e tre chili di pane a testa!».

Il prete, il parrino, non era da meno. Solo che era insaziabile anche in altre cose. Aveva una grossa verruca accanto al naso, e molti dei bambini che giocavano per le strade avevano una verruchina allo stesso po-

34

sto, una sorta di marchio di fabbrica. Confessarsi da lui era come tirarsi un colpo di pistola: dei segreti sessuali o ne dava notizia o ne approfittava, degli imbrogli di soldi riusciva in qualche modo a farne parte e a tirarci del suo. Trovai, moltissimi anni dopo che era morto, un suo telegramma fra le carte del nonno. Diceva: «Somministrato viatico cavaliere Friscia stop ricordatemi nelle vostre preghiere stop cugino Arnone». C'erano alcune cose che non mi quadravano: perché del cavaliere Friscia veniva comunicata l'agonia e perché mio nonno avrebbe dovuto pregare per il prete e non più logicamente per il moribondo cavaliere? Il nonno era scomparso pure lui da tempo e domandai spiegazioni alla nonna. Mi disse che i figli del cavaliere tenevano segregato il padre ammalato per non far sapere quando sarebbe morto: per un'intricata questione di affari, dall'immediato apprendimento del decesso di Friscia nonno ne avrebbe tratto guadagno. E dunque padre Arnone, nel comunicargli, come dire, in anteprima, la morte di Friscia, accampava i suoi diritti sull'affare, le preghiere altro non erano che la richiesta di partecipazione agli utili. Quando si sparse la notizia che padre Arnone aveva tirato le cuoia, uno dei tanti al quale il prete aveva fatto torto ebbe una geniale ispirazione. Assoldò il banditore comunale perché andasse di strada in strada gridando:

«Cu avi a mannari trusciteddri o 'mbernu, murì u parrinu Arnuni!».

Chi aveva da mandare pacchetti e fagottini ai propri familiari all'inferno, approfittasse subito dell'occasione, perché sulla destinazione di padre Arnone nell'aldilà non potevano sussistere dubbi.

«CU SITI?» CI SPIAI IU. «IU SUGNU IU» M'ARRISPUNNÌ IDDRU «Chi siete?» gli domandai io. «Io sono io» mi rispose lui. Questo dialoghetto, composto da appena due battute, viene (o meglio, veniva) quasi sempre abbreviato alla sola prima domanda, senza la risposta dell'interlocutore ed era citato a chiosare il racconto di una evidente vanteria, di una pseudo azione coraggiosa. Don Cocò Lauritano si diceva in paese fosse «omu di panza», uomo di pancia, e cioè persona pronta ad affrontare temerariamente situazioni rischiose. Però nessuno l'aveva mai visto all'opera. Anzi, una volta che aveva assistito ad una scena di prepotenza fatta da un tale a un poveretto malandato e storto, non batté ciglio, non intervenne.

«Mi faceva male un dente» spiegò come risposta a una domanda che nessuno, data la fama, aveva avuto coraggio di rivolgergli. Da alcuni picciotti, in seguito a quell'episodio, la sua presunta temerarietà venne messa in discussione. Decisero di metterlo alla prova. Don Cocò abitava in una casetta isolata fra i campi, in collina. Sul viottolo che portava alla casa si appostò un picciotto che già era buio, mantello lungo, coppola calata sugli occhi e una scopetta, un fucile, tra le mani. Gli altri se ne stavano acquattati. Come don Cocò che se ne tornava a casa venne a tiro, il giovane emerse dall'ombra e lo chiamò per nome, con voce profonda. Don Cocò spiccò un salto, corse in casa, si sprangò dentro e non osò per tutta la notte aprire la finestrella fuori della quale aveva messo la sua cena. Il giorno seguente don Cocò raccontò in paese di avere la sera prima incontrato un tale armato, di essergli avvicinato, di avergli domandato chi fosse. Alla strafottente e provocatoria risposta dell'altro («io sono io») aveva reagito pigliandolo a schiaffi. E lo sconosciuto – sempre secondo il suo racconto – si era dato a precipitosa fuga. Sbeffeggiato da quel giorno per anni, seppe superbamente riscattarsi salvando durante un'alluvione due bambini e alcuni vecchietti.

«Io» confessò allora «mi spavento degli uomini, non delle opere di Dio».

CU STU BUSTU? Con questo fisico? Ironica risposta, in forma di domanda, da parte di chi veniva accusato, o elogiato, per avere fatto qualcosa di straordinario. Valeva, soprattutto, per chi aveva fama di fortunato in amore. Ma la domanda originale venne formulata in tutt'altra occasione. Sul finire del 1920 al mio paese fu proclamato uno sciopero degli operai portuali che rapidamente dilagò ad altre categorie, e finì con l'avere sviluppi ed esiti drammatici. In carcere, a cose fatte, andarono a finire una decina di persone, ma chissà perché, un tacito patto tra polizia e magistratura stabilì che capro espiatorio doveva essere tale Nenè (Emanuele) Lauricella, che ai moti aveva preso parte ma con un ruolo certamente non di primo piano. Il processo, che si svolgeva a Girgenti, era molto seguito, dato che da tutta Italia erano convenuti principi del foro ad accusare o a difendere. Fedele al patto, il pubblico ministero, che era oratore di avvolgente e rombante retorica, esordì affermando che uno ed uno solo era il responsabile, l'angelo del male che aveva convinto tutti allo sciopero, che aveva dato alle fiamme i depositi di zolfo, che aveva distrutto i magazzini di salgemma, che aveva devastato gli uffici dei commercianti, che aveva costruito barricate, che aveva sparato sui carabinieri a cavallo, che aveva messo in difficoltà un reparto dell'esercito, che aveva capeggiato l'arrembaggio di una nave. Un uomo insonne, di forza fisica eccezionale, di volontà indomita, una sorta di Coriolano della Floresta redivivo (era l'eroe popolare di un romanzo di William Galt, al secolo Luigi Natoli, l'autore dei *Beati Paoli,* perché ancora a quei tempi di Robin Hood non se ne sapeva niente).

«Quest'angelo del male» concluse teatralmente il pubblico ministero «è qui davanti a voi, si chiama Emanuele Lauricella!».

E sull'accusato puntò un dito minaccioso come una pistola. Mentre tutto il pubblico si voltava a guardarlo, Nenè balzò in piedi, calando d'altezza. Perché Nenè Lauricella angelo, e sia pure del male, in nessun modo poteva essere definito: era una specie di nano, dalle gambe tanto storte che gli rendevano difficoltoso il passo, gobbo davanti e dietro. Nel guardarlo, gli astanti ebbero un attimo di perplessità: la figura disegnata dal magistrato non combaciava per niente con l'uomo che avevano davanti. In quell'attimo Nenè guardò il pubblico, si portò una mano al petto a indicare se stesso, sorrise tristemente e rivolto al pubblico ministero disse:

«Cu stu bustu?».

Un'ondata d'ilarità travolse tutti e il processo si mise sulla strada giusta, quella non concordata.

DIRI A LIGGI   Dire la legge. La mia generazione venne educata da Alfredo Dina a dirla la legge, se non a praticarla. Ma di quale legge si trattasse, è assai difficile spiegarlo. Alfredo Dina, ordinato nella persona, occhi neri mobilissimi, sorriso a un tempo timido e ironico, era totalmente pazzo. Amava presentarsi con questa formula:

«Alfredo Dina, sifilitico di terzo grado».

Civile, cordiale, ogni tanto, nel corso della giornata, saliva su di uno scalino o su di un montarozzo e da lì «diceva a liggi», subito circondato da un drappello di ascoltatori. Altissima, fra di loro, la percentuale di studenti. Di questa legge in genere si sentiva solo il primo paragrafo, stentoreamente proclamato:

«Uno. Sull'asse terrestre si vive per mezzo di regole, precetti e istituti».

Il resto si perdeva nelle domande che immediatamente venivano rivolte ad Alfredo, e pareva di essere a uno di quegli spettacoli che oggi si vedono in televisione quando i giornalisti assediano un importante uomo politico per estorcergli qualche dichiarazione.

«Alfredo, chi è l'uomo più ricco del mondo?».

«L'uomo più ricco del mondo è Dina Alfredo. Poi viene il signor X, commerciante, poi viene il signor...».

E giù una sfilza di nomi di paesani ricchi, azzeccata.

«E chi è l'uomo più cretino del mondo?».

«L'uomo più cretino del mondo è Dina Alfredo. Poi viene il signor Z, segretario comunale, poi viene...».

E seguivano, in rigoroso ordine, i più cretini del paese, che lo erano per davvero.

Il mondo, per Alfredo Dina, si concentrava dentro il perimetro paesano. E lui era sempre il primo, nel bene e nel male. E se eminenti studiosi del ramo hanno affermato che la mania di grandezza è conseguenza della sifilide, sifilitico Alfredo Dina doveva esserlo per davvero. Certe volte le domande prendevano più pericolosa piega.

«Alfredo, di chi è il più bel sedere del mondo?».

«Il più bel sedere del mondo è di mia sorella, Dina Fernanda. Poi viene quello della signorina Y, che però ce l'ha troppo tondo, poi viene quello...».

E anche qui ci azzeccava. Spesso l'elenco veniva interrotto a forza dal padre, dal fratello, dal fidanzato di una delle ragazze citate che dava botte a dritta e a manca. Per anni, per decenni, dicemmo «a liggi», anche quando Alfredo precocemente morì. Legge che significava niente e tutto. Proclamavamo: «ora dicemu a liggi», e questo significava andare a scuola, a ballare, a passeggiare, a fare l'amore, a dormire, a mangiare, a sposarsi, a fare figli, ad accompagnare al cimitero un nostro caro. «Diri a liggi» finì con l'equivalere all'esistenza di tutti i giorni. Poi, divenuti adulti e padri di famiglia, ci rendemmo conto finalmente che Alfredo Dina, nella sua follìa, qualcosa di vero l'aveva detta.

E UNN'A TROVA NA TESTA PI STU CAPPEDDRU? E dove la trova una testa per questo cappello? Si usa dire quando nel corso di una trattativa le parti raggiungono una posizione di stallo, dalla quale è difficile andare avanti.

Nella novella intitolata *La berretta di Padova*, Pirandello scrive di un venditore di cappelli chiamato Cirlinciò che, dice sempre Pirandello, è il nome di un uccello sciocco. A me non risulta né riesco a capire come un uccello possa essere più sciocco di un altro. Il personaggio però non è di pura fantasia: al mio paese i Cirlinciò hanno da sempre esercitato il mestiere di venditori di cappelli, coppole e berretti. Quello che ho conosciuto io certamente sciocco non era, anzi era uomo di battuta pronta ed efficace, sempre ironico, capace di trasformare la vendita di una coppola in quello che oggi si direbbe uno show, se il cliente minimamente prestava il fianco. I tre o quattro amici che gli erano fedeli usavano trascorrere le ore libere nel suo negozio. Si accomodavano in un angolo dove c'era una sorta di salottino, si facevano servire bibite e caffè dal bar vicino e si apprestavano a godersi l'immancabile spasso. Un giorno in negozio entrò un contadino che già dal saluto si capì che veniva da un paese dell'entroterra per la cadenza del parlare, e subito si configurò come vittima designata. Domandò un cappello. E a quella richiesta tutti si impressionarono, l'uomo aveva una testa enorme, non era umanamente ipotizzabile che un fabbricante avesse potuto immaginare una misura tanto spropositata. Invece Cirlinciò, che era andato nel retrobottega, tornò con un cappello che al contadino calzava perfettamente.

«Quanto viene?» domandò il cliente.

Cirlinciò sparò una cifra esorbitante. Il contadino, senza dire parola, posò il cappello sul bancone e fece per uscire.

«E dove lo trovate un cappello per questa testa?» lo fermò Cirlinciò con un sorriso di scherno.

Il contadino si arrestò, si voltò.

«E dove la trovate una testa per questo cappello?».

Il cappello gli venne venduto a un prezzo ragionevole.

FARI FACCI   Fare faccia. Significa accogliere qualcuno con lieve viso, con generosa e cordiale ospitalità. È la prima domanda che viene rivolta ad un familiare reduce da una visita a parenti che abitano in una città lontana:

«Ti nni ficiru facci?».

E dalla risposta si stabilisce accuratamente il genere di accoglienza da riservare in caso di contraccambio. Il silenzio, in risposta alla domanda, è assai più grave di una risposta negativa, implica rottura dei rapporti, e alla prima occasione, «rinfaccio». Quando, nel dopoguerra, vennero indette le prime libere elezioni, in un paese vicino al mio non venivano ammessi comizianti che non appartenessero al partito, naturalmente di destra, del capomafia locale. I candidati lo sapevano e prudentemente si tenevano alla larga. Ma un giorno un giovane notoriamente di sinistra allestì il balcone di casa sua, che dava sulla piazza principale, con due bandiere rosse e un altoparlante e fece sapere che da lì avrebbe parlato una candidata del suo partito, bella, bionda e per di più settentrionale. La notizia esplose come una bomba per due distinte ragioni: la prima era la sfida aperta al capo mafioso, la seconda era che mai, a memoria d'uomo, si era vista una donna esporsi così pubblicamente. Riferirono preoccupati la cosa al capomafia. Questi ci ragionò un poco in silenzio, poi decretò:

«Facemucci facci, a sta picciotta forastera» (Accogliamola bene questa ragazza forestiera).

La futura deputata (lo sarebbe diventata per davvero) si affacciò al balcone e con soddisfazione vide che nella piazza c'erano non meno di trecento persone con bandiere rosse. Parlò ed ebbe un subisso di applausi. L'accompagnarono tutti all'auto che l'aspettava e, prima che se ne partisse, vollero intonare ancora una volta «bandiera rossa». A questo punto la donna si voltò verso l'organizzatore della manifestazione:

«E tu mi avevi detto che qui eravate appena una decina!» lo rimproverò. Il giovane allargò le braccia. Non volle deluderla spiegandole che gli altri duecentonovanta erano andati ad ascoltare il comizio come comparse da messinscena solo per «fari facci», secondo l'ordine ricevuto.

FILAMA   Filamento quasi invisibile, ancor più sottile di quelli che costituiscono la tela del ragno (questi sono detti «filinii»). Significa calunnia. Dalle mie parti il venticello rossiniano si muta in questa aerea rete di filame la cui invisibilità non significa mancanza di resistenza: anzi, possono diventare più forti di un cavo d'acciaio. E si dice: «ittari na filama», gettarla come cosa concreta sul malcapitato che più si agita a difesa più vi si avvoltola, cosicché poco a poco il filo nel suo sdipanarsi saldamente imprigiona la vittima, l'immobilizza. Chi per primo getta la filama (di cornuto, di jettatore, di malpagatore) difficile scoprirlo: essa viene alla luce solo dopo che altri hanno collaborato ad allungarla e a ritorcerla, quando comincia a pesare su chi vi è incappato e da improvvisi silenzi, da occhiate di traverso, da gesti a metà lasciati, questi ha la percezione che attorno a lui il mondo stia subendo un cambiamento nei suoi riguardi, che tutto non sarà più come prima. Vittorio Cusumano, entrato al caffè per la solita partita a carte, sorprese i suoi tre amici, che l'attendevano, con le teste accostate a parlottare. Al suo apparire tacquero di colpo, finsero indifferenza, si mostrarono cordiali un rigo più sul registro. Vittorio Cusumano, che aveva moglie giovane e bella (e certamente fedele) ebbe la fulminea intuizione che stava nascendo una filama ai suoi danni. Tirò fuori il coltello e ferì uno dei tre, a caso. Il suo gesto venne spiegato con un improvviso cedimento della ragione. Ma:

«Ho tagliato la filama prima che s'allungasse» spiegò alla moglie piangente.

FITUSU   Sporco. Ma in genere si dice di persona senza coscienza, capace di tutto, amorale. Viene definito, come superlativo, «cosa fitusa» chi perde connotati umani nell'agire male e assume caratteri astratti di assoluta malvagità. Raramente «fitusu» è sinonimo di stupido, sprovveduto. Come nel caso di Tanino Sciacca, operaio portuale, che venne coinvolto nella recita di un mortorio (rappresentazione popolare e in dialetto della Passione di Cristo). Doveva fare la parte di Caifas, capo del sinedrio, e la sua prima battuta era: «Io fussi Caifassu», io sarei Caifas, ma alla vista del pubblico s'impappinò, si fece travolgere da una serie di papere tipo «iu fassi ca fussi», «iu cafassi fussi», e via di seguito finché scorato e quasi piangente si levò il camicione che indossava e disse:

«Cu fussi fussi, u fitusu fu i' ca mi ci misi» (Chiunque io sia stato, il fesso sono io che mi ci son messo, in questa storia).

Durante lo sbarco in Sicilia degli alleati mi trovai con la famiglia a Serradifalco, dove i tedeschi avevano approntato una linea di resistenza. Nelle solide cantine della villa di una mia zia, ci riducemmo a vivere una trentina di persone, senza avere nulla da mangiare, se non fave secche. Con me c'era anche un mio cugino di qualche anno più giovane, lì casualmente capitato. Ogni tanto uscivamo tra bombardamenti aerei e terrestri e barattavamo del vino per qualche scatoletta di cibo. Da una radio che miracolosamente funzionava, apprendemmo la caduta del fascismo.

Alle prime ore del 29 luglio tutto tacque, cannonate, bombe, mitragliatrici, con stupore sentimmo gli uccelli tornare a cantare. Uscimmo, gli altri dormivano. Dal fondo della strada vedemmo avanzare un carro armato mostruoso, gigantesco, lentissimo. A un tratto si fece di lato per lasciar passare una macchina (non sapevamo ancora che si chiamava jeep) con a bordo un militare in piedi, uno seduto al suo fianco e un negro in divisa che la guidava.

Alla nostra altezza, l'uomo in piedi fece cenno all'autista di fermare. Guardava una rozza croce di legno che stava al suo livello (la strada era leggermente incassata). Indicava la sepoltura di un soldato tedesco che era rimasto ucciso in un bombardamento. Dopo un attimo l'ufficiale sporse il braccio, sradicò la croce, la spezzò su di un ginocchio, disse all'autista di proseguire. Rimanemmo allibiti, terrorizzati. Intanto il carro armato stava sorpassandoci. Dietro c'erano una dozzina di uomini in divisa americana, il mitra fra le mani, le bombe a mano legate l'una all'altra intorno al collo. Eravamo sconvolti, temevamo che quegli uomini ci sparassero da un momento all'altro. Invece l'ultimo dei soldati si fermò, tornò indietro, ci salutò:

«Vasamulimani» (Baciamolemani).

Non eravamo in condizione di rispondere, e lui continuò:

«Ntra n'urata nuatri turnamu narrè. M'avissivu a fari u piaciri di farimi truvari nanticchia d'acìtu bonu, quannu ci priparu na 'nzalata o me tinenti» (Fra un'ora torniamo indietro. Dovreste farmi il piacere di farmi trovare un poco di aceto buono per preparare un'insalatina al mio tenente).

Mentre si allontanava per tornare dietro al carro armato, io e mio cugino Alfredo ci scoprimmo con gli occhi pieni di lacrime. Troppe sensazioni contrastanti si erano abbattute su di noi in pochi minuti. Gli americani tornarono, gli facemmo trovare l'aceto, ricambiarono con le loro razioni militari, si misero a mangiare. Allora mi avvicinai al soldato siculo-americano (in quel plotone lo erano quasi tutti) e gli domandai chi era quel tale in divisa che li aveva preceduti e che stava in piedi dentro la macchina.

«Quello è un generale bravissimo, il migliore che abbiamo» mi rispose, «come soldato non ce ne sono altri, ma come uomo è un fitusu. Si chiama Patton».

Da quel giorno sono trascorsi quasi cinquant'anni. E in questo tempo ho visto molti film che illustrano vita e opere del generale americano, e anche qualcosa m'è capitato di leggere su di lui. Ma non c'è verso: mentre guardo o leggo, un montaliano lampo lo candisce nell'eternità di un gesto terribile e imbecille, che riduce l'eroe non a «fitusu», come lo definì un suo soldato, ma, in assoluto, a «cosa fitusa».

FUTTIRI ADDRITTA E CAMINARI NA RINA PORTANU L'OMU A LA RUVINA   Fottere in piedi e camminare sulla sabbia, portano l'uomo alla rovina. «Rina» è la sabbia perfettamente asciutta, dove il piede affonda, mentre «rina vagnata» è quella della battigia, resa solida dall'acqua e sulla quale si cammina comodamente. Il proverbio nacque durante una dotta discussione tra pescatori, mentre stavano aggiustando le reti, incentrata sulla verità dell'antico detto «Bacco, tabacco e Venere riducono l'uomo in cenere». Rocco Bilardo, il più vecchio e il più saggio dei presenti, smontò il proverbio con impareggiabile dialettica e dimostrò come la donna, il vino e il tabacco, essendo cose create da Dio, per

47

loro intrinseca natura fossero incapaci di produrre danno. Concluse il suo ragionamento sostenendo che a condurre l'uomo alla rovina erano invece le cose naturali maldestramente usate, come appunto il fottere stando in piedi o il passeggiare a lungo sulla sabbia asciutta. Io non so se qualche acciacco di cui oggi soffro derivi dall'aver praticato in gioventù, fra gli altri, anche questi due errori, ma ancora conservo memoria dei lancinanti mal di schiena che ad essi seguivano.

I CORNA SU' PROGRESSU   Le corna sono progresso. Frase detta in privato ma diffusa dalla persona stessa alla quale era stata rivolta, e intende significare la sopravvenuta inutilità, per l'evolversi dei costumi, del delitto d'onore. Titino Zaccaria ebbe la bella pensata di tornare a casa con un giorno d'anticipo da un viaggio d'affari senza avvertire la moglie: e la sorpresa gliela fece davvero, interrompendola nel mezzo di un incontro amoroso con l'amante. Approfittando del momento di sconcerto di Titino, l'amante si buttò dalla finestra, che era bassa, e si diede alla fuga. Titino, ripresosi, massacrò la donna di botte e poi corse verso la casa di campagna dove teneva il revolver per armarsi e andare a sparare all'amante che aveva riconosciuto. La notizia si sparse in un baleno e siccome Titino era «greviu» (antipatico, altezzoso) il commento della maggioranza fu:

«Curpa so. L'aviva avvisari ca turnava» (Colpa sua, doveva avvertirla che tornava).

Mentre la donna, che invece stava simpatica a tutti, veniva amorosamente curata, zio Massimo, che era malgrado tutto amico di Titino, conosciutane l'intenzione omicida, lo rincorse affannosamente. Lo trovò in casa, seduto su di una poltrona, che silenziosamente piangeva, con l'arma in mano. Mio zio gliela tolse, senza che l'altro scorato si ribellasse, l'abbracciò e gli disse:

«Che ci vuoi fare, Titì? Le corna sono progresso».

E con un largo gesto del braccio immise, assieme al telefono, al frigorifero, alla radio, alla televisione, alla lavatrice, a un aereo alto nel cielo, a due motorette e a un'automobile che in quel momento passavano, anche le corna nel novero di tutto ciò che ineluttabilmente porta l'uomo verso quelle «magnifiche sorti e progressive» che cantò Leopardi mutuandole da Terenzio Mamiani.

IDDRU CI SENTI DE GARGI COMU I PISCI   Lui ci sente dalle branchie come i pesci. A Parigi, in un negozietto d'antiquario, Leonardo Sciascia trovò alcune carte appartenute a Pirandello. C'era anche il telegramma col quale Mussolini gli comunicava l'avvenuta nomina ad Accademico d'Italia e che era stato abbandonato dal destinatario in una camera d'albergo a Berlino: ulteriore prova, se mai ce ne fosse bisogno, del disprezzo di Pirandello per quelle che lui stesso chiamava «vanità». Su di un foglietto c'era anche il detto citato, così tradotto in italiano: «lui sente per le garge come i pesci». Le garge come sinonimo di branchie non le ho riscontrate in lingua, Pirandello avrà così semitradotto per dare maggior forza alla frase. «I gargi» o «le garge» sono nell'agrigentino la gola, e quindi «pigliari a unu pi gargi» significa afferrarlo per la gola, allo stesso modo che un goloso viene detto «gargiutu». Sicché «sintìri di li gargi» vuol dire intendere, sentirci solo per la gola, che qui non è soltanto il gusto del palato ma anche il desiderio di possesso di ogni bene materiale, a cominciare dal denaro, magari equivocamente ottenuto. E in questi tempi di mazzette, tangenti, bustarelle, di gente che sembra avere contatti col mondo solo attraverso le garge, ci pare di star vivendo in un acquario. Un mio amico, recatosi a Roma per domandare un favore (ben retribuito) a un onorevole compaesano, venne introdotto nella villa di questi. Stava nuotando in piscina. Quando uscì, il mio amico non poté trattenersi dal dirgli:

«Lei, onorevole, è un vero pesce, dentro e fuori l'acqua».

L'onorevole, che da troppo tempo era lontano dalla sua terra per ricordarsi i proverbi, sorrise compiaciuto, credendo che il suo interlocutore si riferisse all'abilità dimostrata tanto dentro la piscina quanto dentro le infide acque della politica.

IRISINNI ALL'ARBULI RUSSI   Andarsene agli alberi russi. A raccontarmi le burle, le prese in giro, gli scherzi che combinava don Carlo Martullo, addetto all'anagrafe comunale e grandissimo tragediatore, era mia nonna, ma più cose mi raccontava e meno il personaggio mi stava simpatico, mi pareva che se la pigliasse con i deboli, con gente che non poteva in nessun modo reagire. All'anagrafe comunale stette per una decina d'anni, sul finire dell'ottocento, e fece più danno di una fera, assegnando ai trovatelli nomi e cognomi impossibili come Tarquinio Prisco o Sicacasotto Giuseppe o Provvisorio Provvisoriamente. Fra le tante che combinò, una si riassunse nel detto che sto citando. Al largo del paese aveva gettato le ancore una nave russa immensa, quale mai si era vista. Si era fermata non per operazioni commerciali ma per certe riparazioni piuttosto lunghe: era oggetto di curiosità di tutti che dalla riva, dai terrazzi delle case, dalle colline stavano a guardarla. Una sera Carlo Martullo, salendo verso un suo podere, incrociò un gruppo di una ventina di braccianti agricoli che avevano terminato di lavorare e se ne scendevano in paese: terminato non solo per quel giorno ma per tutta la stagione, e quindi davanti a loro si aprivano mesi di ristrettezze se non di vera fame. Ebbe un'idea, li fermò.

«Giusto voi stavo venendo a cercare» disse. «La vedete la nave russa? Hanno bisogno di mano d'opera per curare gli alberi e gli orticelli che hanno a bordo».

E allo stupore dei contadini, spiegò:

«Su queste navi che fanno il giro del mondo e stanno fuori di casa magari due o tre anni, il governo russo ha fatto piantare alberi da frutta, pomodori, fave, verdura e insomma cose che i marinai possono mangiare fresche, altrimenti gli viene lo scorbuto. Hanno pure due mucche e dieci capre. Mi hanno domandato se in paese c'è qualcuno che vuole andare a bordo per occuparsene».

I contadini aderirono entusiasticamente. L'indomani mattina, affittate a credito tre grandi barche, perché si erano portati dietro donne e bambini, si presentarono a bordo della nave muniti di zappe, vanghe, accette. Il marinaio di guardia, esterrefatto, non era stato in grado di fermare il pacifico arrembaggio. Al rappresentante dell'armatore spiegarono che erano venuti per curare le piante di bordo.

Il rappresentante rise, chiarì loro che la nave non era terreno agricolo e, sempre ridendo, tradusse i motivi dell'invasione all'attonito comandante: disse anche che quei poveretti erano stati evidentemente vittime di uno scherzo crudele. Il comandante principiò a ridere pure lui ma poi guardò più attentamente la gente che gli stava davanti: lacera, poverissima, scalza, i bambini aggrappati alle madri e, in tutti, una luce di speranza negli occhi che lentamente si spegneva. Ne ebbe profonda pena e, mandati i suoi marinai in franchigia, fece loro ripulire la nave da cima a fondo, li trattenne tutti per un lauto pranzo, li pagò profumatamente. E dunque, fino alla scomparsa della pratica del bracciantato agricolo, si usò quel detto a indicare l'intrapresa di un lavoro dal risultato assai dubbio che però, per un miracolo, per un imprevisto, per uno scarto della sorte, poteva anche concludersi benissimo. Chi partiva per l'America, ad esempio, senza un lavoro certo e senza amici pronti ad aiutarlo al suo arrivo, diceva che andava agli alberi russi. La notte prima di sposarmi io la trascorsi sempre sveglio e in preda al panico, non sapevo se sarei stato in grado, conoscendomi, di mantenere gli obblighi che il matrimonio comportava e che liberamente avevo deciso di assumermi. Al mattino, mentre mi stavo facendo la barba, questo detto, da anni dimenticato, emerse come di colpo alla memoria a caratteri cubitali, mi folgorò. Me ne derivò un tremore tale da farmi tagliare col rasoio.

Ma si vede che un altro comandante russo, o chi per lui, provò pena di me.

IU DA FINESTRA TRASU   Io entro dalla finestra. Lo dice chi in una particolare circostanza vuole andare controcorrente. Ma il senso è assai più ampio. Peppi Nicotra, scaricatore di porto, si sposò ventenne con Giovannina Sirchia che molti definivano «fimmina di lettu», donna da letto, al solo vedere come parlava, guardava, camminava. A una settimana dal matrimonio, per una lite all'osteria durante la quale c'era scappato il morto, Peppi venne arrestato, processato e condannato a dieci anni. Per qualche mese Giovannina gli rimase fedele poi, dando ragione a chi aveva la vista lunga, cedette a un giovane del paese, e a quello molti altri ne seguirono. Abitava la donna in una casetta a un piano, verso il molo, che Peppi aveva costruito con le sue mani in vista delle nozze. La porta d'entrata aveva allato una finestra ad altezza d'uomo. Pur essendo in carcere, Peppi venne sùbito a conoscere il tradimento della moglie, ma parve non darsene per inteso: volle solo che Giovannina non andasse più a trovarlo. Quando dopo dieci anni fu rimesso in libertà, tutto il paese si aspettava il classico delitto d'onore se non contro gli amanti, che francamente erano troppi, sicuramente contro l'infedele. Invece l'attesa andò delusa, Peppi prese alloggio nella casa materna e di Giovannina non parlò più. Senonché dopo qualche tempo si venne a sapere che Peppi aveva ripreso a frequentare la moglie, l'andava a trovare di notte e la trattava come tutti gli altri, una compagnia occasionale. Peppi rapidamente decadde nella considerazione generale, non solo aveva accettato la situazione ma continuava a frequentare chi l'aveva fatto cornuto. Richiesto di spiegarsi da colui che era stato il primo amante di Giovannina, tranquillamente rispose:

«Io Giovannina non me la potei godere come moglie, troppo poco tempo passò tra il matrimonio e la galera. E perciò quando uscii mi tornò desiderio di lei. Una notte l'andai a trovare. Tutto qua. Solo che entrai dalla finestra».

«E che vuol dire?».

«Dalla porta entrano i mariti, o no?».

«Certo. Da dove dovrebbero entrare?».

«E io invece ogni volta entro dalla finestra, come un amante. Voi che entrate tutti dalla porta per andare a trovare Giovannina siete i mariti, io solo l'amante. Sono io che vi faccio cornuti tutti».

Venne riabilitato. Inutile aggiungere che Peppi Nicotra del suo compaesano Luigi Pirandello mai aveva sentito parlare.

IU SUGNU IU MA TU 'UN SI' TU   Io sono io ma tu non sei tu. Lo si dice a un interlocutore quando si lascia andare ad affermazioni che non rientrano nel suo abituale modo di pensare. Don Beniamino Sileci era di ricca famiglia ma carte e donne lo ridussero in miseria. Si diede al vino: passava le ore della sera in una taverna bevendo smodatamente. Poi, con le gambe che appena lo reggevano, pigliava la strada di casa. Che subito si trasformava in una via crucis. Seguito da un codazzo di carusi che lo sbeffeggiavano, lo spingevano, lo strattonavano e da qualche picciotto che non aveva niente di meglio da fare, don Beniamino cadeva, si rialzava, incespicava, barcollava, sbatteva contro un muro, perdeva la strada, la ritrovava, in mezzo a risate, insulti, provocazioni. Una sera il poveretto stava addossato a un lampione per ripigliare fiato quando scorse, fra i dileggiatori, qualcuno che non avrebbe dovuto esserci. Si trattava di un giovane assai perbene, educato, che per una delusione amorosa aveva bevuto qualche litro e si era lasciato trascinare a quel tristo spasso. Don Beniamino alzò un braccio a imporre silenzio, si avvicinò al giovane e, occhi negli occhi:

«Io sono io» disse «ma tu non sei tu».

MOVITI!   Un non siciliano, al suono di questa ingiunzione, pensa che debba cominciare a muoversi in fretta, commettendo un errore che può anche essere fatale (non so, ad esempio nel caso che gli stiano puntando un'arma contro). Il suono è quello, certamente, ma il senso locale è decisamente l'opposto: stai perfettamente immobile, non battere ciglio. Però «moviti!» può anche significare «muoviti» e quindi, se ti devi tramutare in una statua di sale o in Achille piè veloce lo devi evincere, e prontamente, dal contesto. Arrivò a casa nostra una ragazza di Milano, Franca, che aveva sposato un mio zio. Alla fine del primo pranzo con noi, cortesemente si alzò per aiutare le donne a sparecchiare. E venne immediatamente subissata da un coro, sempre più imperioso, di «moviti, Franca, moviti!». E lei accelerava il suo andare e venire dalla cucina alla sala da pranzo e da questa a quella con l'occhio sempre più spaurito:

«Ma in che famiglia di maleducati sono capitata?».

MURRITIARI   Stuzzicare, provocare. Ma se il provocare si tramuta in dileggio, si dice «scuncicari», dare la «scuncica». Totò Bellomo, che a vent'anni si era diplomato ragioniere e che era pronto a maritarsi, si vide mandare tutto all'aria da una cartolina rosa che lo chiamava alle armi.

Si fece la guerra d'Abissinia e poi la guerra di Spagna, tornando di tanto in tanto in paese per brevissime licenze. Da picciotto allegro e scialacore che era, si era fatto uomo di poche parole, chiuso e schivo. E a chi gli domandava ragione del mutamento, rispondeva:

«Mi stannu murritiannu».

Lo lasciarono in Africa a presidiare l'impero. Da lì poi si trovò a combattere in Libia e dalla Libia venne mandato in Russia, sul Don. Si fece la ritirata e tornò miracolosamente in paese, se possibile ancora più mutànghero del solito. Gli mancavano un dito della mano sinistra, uno della destra, tre del piede destro, un occhio.

Prese le medaglie, erano tante, che gli avevano date, le mise in un sacchetto, lo nascose in fondo a un vecchio baule. Disse, per tutto commento: «Mi murritiaru assà». Mi hanno provocato troppo.

Gli trovarono un posto e si sposò con la ragazza con la quale avrebbe dovuto maritarsi una ventina di anni avanti. Sia che si fosse trovato a trenta gradi all'ombra sia al gelo dei trenta sotto zero, ogni tanto aveva cavato dal portafoglio la foto di una ragazzina di diciotto anni che gli sorrideva: la donna quarantenne che era davanti all'altare accanto a lui ci somigliava poco.

Non vollero figli: tutti e due si sentivano troppo vecchi. E anche questa privazione la misero in conto delle cose perse: la giovinezza, una risata incosciente, lo slancio dell'amore giovane. Poco prima della campagna elettorale del 1948, venne convocato dal locale segretario di un grande partito. Proprio quella mattina, Totò aveva casualmente trovata una pistola carica in uno dei suoi tanti zaini. Se la mise in tasca, dopo l'incontro col segretario l'avrebbe buttata in mare.

«Tu devi essere dei nostri» gli disse il segretario. «Hai combattuto contro i rossi, da uomo coraggioso quale sei. E bisogna continuare a combatterli. Lo sai che sono pronti a invaderci? Andranno ad abbeverare i loro cavalli in Vaticano, dal papa, si fotteranno le nostre donne, si mangeranno arrosto i nostri figli. È una guerra, Totò, un'altra guerra. Che mi dici?».

Totò non parlò. Estrasse dalla tasca la pistola e gli sparò. Fortunatamente lo pigliò di striscio. Il segretario non sporse denuncia, non si voleva mettere contro un eroico combattente, e tutto venne messo a tacere. Ma a chi gli domandava perché l'avesse fatto, Totò Bellomo spiegava:

«Mi scuncicò».

MUSIONE Movimento. Dall'inglese *motion*. È parola che appartiene a quel linguaggio misto di siciliano, napoletano e americano adoperato non tanto dagli emigrati ma dai loro figli nati negli Stati Uniti. Se ho scelto questa parola ad esempio, è per le tre volte che l'ho sentita dire. La prima è perché ricordo ancora lo sbalordimento provato nel vedere totalmente spostata rispetto al luogo dove era stata costruita una casetta che un rimpatriato si era fatta costruire proprio sulla spiaggia.

La casetta, che smottando era avanzata di una ventina di metri, malgrado la passeggiatina era rimasta perfettamente intatta.

«Niente. Fece una musione leggera» mi spiegò il proprietario, Fefè Iacovino, uno che lavorava come autista con mio padre. Sempre con lo stesso Iacovino un giorno partimmo in macchina per Palermo. Io ero accanto a lui, mio padre stava seduto dietro. All'improvviso scoppiò un pneumatico, l'automobile sbandò e ci trovammo di colpo in bilico su uno strapiombo di un'ottantina di metri.

«Non facciamo musione!» gridò Iacovino.

Era una gag perfetta, chapliniana, solo che poteva risolversi tragicamente, non eravamo al cinematografo. Appena uno respirava più forte, la macchina si metteva a fare come una bilancia. Non parlavamo, temendo che persino le parole potessero fare musione. Finalmente passò, dopo un'ora di agonia, un camionista che con molta cautela ci trasse in salvo. Potevo più scordarmela, quella parola? La terza volta fu in occasione di un libretto di versi che Ruggero Jacobbi mi fece leggere. Autore ne era un siculo-americano. Ne ricordo una quartina, una poesia d'amore:

Tengo uno storo abbascio città
dove se vuoi farmi fone
qui tutto è pace e tranquillità
nemmanco il vento ci fa musione...

(Ho un negozio nel sud della città dove, se vuoi, puoi telefonarmi, qui tutto è pace e tranquillità, nemmeno il vento si muove...). Versi che mi parvero, e mi paiono, bellissimi.

MUZZIATA «Vendita di genere a corpo», spiega il Mortillaro nel suo *Dizionario* (l'unico a registrare la voce fra i quattro dizionari siciliani in mio possesso) e finisce che non spiega un bel niente. Provo a formulare una mia definizione: compera (o vendita) di cose dello stesso genere ma di tipo diverso. Mi spiego meglio con un esempio: all'ora di chiusura dei banchi di vendita del pesce, le rimanenze, sia che si tratti di merce pregiata o meno, vengono assemblate in cassette e messe in vendita a un prezzo intermedio tra quello di maggior costo e quello inferiore. La difficoltà principale di una muzziata consiste, sempre per restare all'esempio del pesce, nell'inventare un modo unico di cucinarla, dato che coesistono, e sempre in piccola quantità, pesci che vanno fatti arrosto con altri la cui morte è bollitura, altri che sono da friggere con altri che abbisognano di brodetto con aglio e prezzemolo. Muzziata, per estensione, si adopera in molteplici occasioni. E vale scherzosamente per una domanda di futuro matrimonio.

«Vulemu fari una muzziata tra chisti nostri figli?» oppure, come seriamente propose Fofò Liotta al giudice che gli contestava dieci capi d'accusa per ognuno dei quali puntigliosamente elencava gli anni di galera relativi:

«Cillenza, picchì 'un facemu na muzziata?», guadagnandosi qualche anno in più per offesa alla corte.

Il 20 settembre 1989 ero seduto a un caffè coi tavolini all'aperto e mi trovai al centro di una strage che lasciò a terra sei morti e altrettanti feriti. Non so perché, scampai. Stavo lì, inebetito, a contemplare l'orrore, quando un signore accanto a me, pallidissimo e tremante (ma sicuramente lo ero anche io pallidissimo e tremante) disse, vedendo che tra i morti e i feriti c'erano uomini e donne, vecchi e giovani:

«Ficiru propriu una bella muzziata».

E muzziata è, in sostanza, il contenuto di questo libretto.

NNI LIVARU U PIACIRI DO FUTTIRI   Ci hanno tolto il piacere del fottere. A commento di un provvedimento governativo che appare particolarmente esoso. La rammaricante espressione è facilmente databile, risale a immediatamente dopo l'Unità, quando anche in Sicilia venne introdotta per la prima volta la coscrizione obbligatoria. Applicata brutalmente, senza nessuna preparazione psicologica, la legge ebbe autentico effetto di shock. Il professor Stocchi, testimone d'epoca, narra in un suo scritto che nei paesi dell'interno dell'isola, l'accompagnamento del coscritto alla caserma aveva lo stesso rituale di un trasporto funebre: in testa il chiamato alle armi, dietro i genitori (la madre, col velo nero a coprirsi il volto, si picchiava il petto ed emetteva urla e gemiti), dietro ancora i fratelli, le sorelle, i cugini, gli amici tutti rigorosamente in nero. Non si trattava di cose di vento, di fantasia: la leva obbligatoria sottraeva alla famiglia contadina le forze di lavoro migliori e veniva a «costituire, per il ceto rurale povero, una durissima imposta materiale, oltre che morale, in quanto per quattro o cinque anni di servizio militare, venivano perdute migliaia di prestazioni giornaliere di lavoro» (De Stefano-Oddo, *Storia della Sicilia dal 1860 al 1910*). Gli effetti della leva obbligatoria furono immediati: la renitenza si diffuse a macchia d'olio (e i renitenti andavano a ingrossare le fila dei latitanti e dei briganti); con la complicità di alcuni ufficiali dello stato civile molti neonati furono iscritti nei registri come appartenenti al sesso femminile; alcuni giovani vennero dai genitori portati sull'orlo della tomba con digiuni ed erbe magiche per renderli disabili; diminuì sensibilmente la nuzialità e soprattutto toccò livelli minimi il grafico delle nascite. Ecco da dove ha precisa origine la frase citata. Ma si badi bene: l'apparente volgarità del verbo adoperato, fùttiri, vuole con reale pudore nascondere sentimenti puri come lo sposarsi, fare l'amore, avere figli, allevarli.

NUTTATA PERSA E FIGLIA FIMMINA   Nottata perduta e figlia femmina. Esprime la delusione per il magro risultato ottenuto dopo lungo travaglio e impegno. Venne data come risposta da un contadino ad alcuni amici che gli chiedevano di che sesso fosse la creatura che gli era appena nata. E la nottata persa indicava appunto il lungo travaglio del parto che aveva impegnato per tutta una notte la mammana, la levatrice, il marito stesso e la partoriente. Molto rumore per nulla. Perché c'è da considerare che la figlia femmina non solo non poteva essere adibita in campagna a lavori veramente pesanti, non solo non portava soldi a casa dato che era inammissibile che svolgesse un qualsiasi lavoro autonomo, ma per di più, se si sposava, portava via i soldi della dote. Nelle famiglie ricche rappresentava lo stesso un bel problema appena si entrava in questioni ereditarie, poteva però servire come merce di scambio in complicati matrimoni di complicato interesse. Fra tutti coloro che questa frase usarono in senso traslato, l'ideale palma, a mio avviso, spetta a Jachino Pullara, commerciante. Subìto un improvviso tracollo, decise che l'unica era di suicidarsi. Si recò nottetempo nella casa al mare di suo fratello, di cui possedeva le chiavi e che sapeva vuota, s'impadronì della rivoltella che era in un comodino e, dopo lunga meditazione, si portò la canna alla tempia e si sparò. Il revolver fece clic. Tremante, Jachino aprì il tamburo dell'arma e vide che dentro c'era solo quella cartuccia difettosa. Trovato un rotolo di corda, ne legò un capo a un'asta che serviva a reggere il filo per i panni sul balcone, l'altro capo se l'avvolse attorno al collo e si buttò giù. L'asta non resse al peso, si spezzò, Jachino atterrò rompendosi un piede mentre l'asta lo colpiva violentemente alla testa. Si rialzò, corse zoppicando verso il mare, si arrampicò su di uno scoglio e si gettò in mare. Svenne.

Non seppe di essere stato raccolto da una paranza di passaggio e di essere stato portato dal medico in paese. Quando aprì gli occhi vide il dottore e l'infermiera e capì di non essere morto. Sperò in qualche ferita grave che da lì a poco avrebbe potuto portarlo alla tomba.

«Chi mi fici, chi mi fici?». Cosa mi son fatto, domandò ansioso.

«Niente» rispose il medico. «Una leggera ferita alla testa, ti ho dato tre punti, un piede slogato, e te l'ho infasciato, e una bella bevuta d'acqua di mare che ti serve come purga. Fesserie».

«In conclusione» fece tra i denti Jachino rabbioso «nottata persa e figlia femmina».

PANELLA   Frittura di pasta di ceci, tagliata a rettangoli, a condimento di una «mafalda» (a Roma si dice «rosetta») spaccata a metà. Intorno agli anni trenta, quando frequentavo il ginnasio, il panellaro si piazzava vicino all'ingresso della scuola e vendeva le sue panelle bollenti, di gran lunga preferite al salame o al tonno (assai più cari). Ma sul panellaro vedi la mirabile pagina di Leonardo Sciascia, proprio all'inizio del *Gior-*

no della civetta. Dire di un uomo che è una panella significa definirlo una mezza calzetta, di scarso coraggio. I personaggi dei film western proiettati al cinema Mezzano, erano, sempre intorno agli anni trenta, così denominati: «u picciottu» (l'eroe), «a picciotta» (l'eroina), «u sceriffu», «u tintu» (il cattivo) e «panella vecchia», il vecchietto che parlava con l'inconfondibile voce chioccia del doppiatore Lauro Gazzolo, e che salvava i protagonisti morendo ammazzato dal cattivo. A proposito del cinema Mezzano: era l'unico cinema, nella storia dell'umanità, a carattere democratico, vale a dire che gli spettatori, se non gradivano il film in programma, potevano, urlando e schiamazzando, interromperne la proiezione. Il signor Mezzano aveva delle pellicole di riserva che sapeva essere di alto gradimento, i western di Tom Mix e, chissà perché, *La vedova allegra* di Lubitsch. La pronta sostituzione del film in programma con uno di questi riportava la calma in sala. Così per tre o quattro volte vidi appunto *La vedova allegra*: fu – ma lo capii dopo – la mia migliore scuola di spettacolo.

PARABBULA SIGNIFICA TARANTULA BALLARINA   Parabola significa tarantola ballerina. Si dice a commento di un ragionamento che, dopo aver filato liscio fino a un certo punto, perviene a conclusioni illogiche. Da notare che da noi, e non solo da noi, si chiama tarantola ballerina quella il cui morso dà effetti simili all'attacco epilettico. Questa stupefacente spiegazione venne data dal cavalier Taìno, maestro dell'unica scuo-

64

la rurale del mio paese, a un suo scolaro che, avendo assistito a una partita di calcio, gli domandava cosa significasse un tiro a parabola. Il cavaliere era uomo di così abissale ignoranza da suscitare considerazione e rispetto. Famosa la sua lezione su Cristoforo Colombo: «Colombo, per fare vedere che la terra non era fatta come una foglia ma come un'arancia, se ne partì per l'America con tre ciaravelle». Per una scolaresca di figli di contadini, le ciaravelle non potevano essere altro che la forma italianizzata di «ciaraveddri», che sono le caprette neonate. Facile immaginare cosa venne fuori quando il cavaliere volle che gli scolari facessero un disegnino su Colombo e la sua perigliosa navigazione. Tre giorni dopo la dichiarazione di guerra del '40, quattro aerei francesi sorvolarono il paese e lo bombardarono. Il cavaliere Taìno coraggiosamente uscì da casa e sparò due colpi di doppietta verso gli aerei che volavano a non meno di quattromila metri di altezza. La sera se ne vantò al circolo. Quando nel 1943 sbarcarono gli alleati, il medico condotto, che era un tragediatore, si presentò ansimante e stravolto in casa del cavaliere Taìno.

«Cavaliere, vi ricordate di quel giorno che avete sparato agli aeroplani francesi?».

«Certo che mi ricordo» disse il cavaliere.

«Mannaggia a quando avete fatto questa bella pensata!».

«E perché?».

«Perché quel giorno un cornuto di pilota francese vi ha fotografato. La foto me l'hanno fatta vedere gli americani, vi si riconosce benissimo, ingrandito. Gli americani vi stanno cercando casa per casa per arrestarvi come nemico numero uno».

Il cavaliere impallidì, dovette sedersi. Il medico gli portò un bicchiere d'acqua. Seguì un penoso silenzio.

«Cosa mi consigliate?» domandò dopo qualche tempo il cavaliere con un filo di voce.

«Scappare» fu la risposta.

«E se strada facendo mi riconoscono?».

«Provvedo io» lo rassicurò il medico condotto. Con un sadismo degno di miglior causa, per mezz'ora gli insegnò come camminare zoppo, come fingere d'essere orbo di un occhio, come far credere d'avere una mano paralizzata.

Alla fine della lezione, il cavaliere abbracciò commosso il dottore, mise quattro indumenti in una valigetta e partì. Tornò dopo un anno (e non si seppe mai dove si era nascosto), quando si fece persuaso che le acque si erano definitivamente calmate.

PINTAIOTA   Dal greco penta iota, cinque iota. Viene così chiamato, «a pintaiota», in alcuni paesi, l'autobus di linea. Leonardo Sciascia, in un suo libro, scrisse che derivava dalla sigla della ditta che per prima aveva istituito in quei paesi il servizio pubblico. Non è esattamente così. Avevo un compagno che veniva al ginnasio da un paesino che confinava con la provincia di Caltanissetta. Una mattina che arrivò tardi a scuola si giustificò dicendo che la pintaiota aveva forato. Nessuno di noi aveva mai sentito quella parola, nemmeno il professore che gli domandò spiegazione.

«È l'autobus, al mio paese lo chiamano così».

Qualche anno dopo mio padre mi portò in macchina a Licata ma l'auto ebbe un grosso guasto e noi fummo costretti a cercare un mezzo che ci riportasse a casa.

«Treni non ce ne sono più, a quest'ora» ci informò un cortese signore. «Ma per Agrigento parte una pintaiota fra poco».

Mio padre non capì ma io, forte dell'esperienza, gli spiegai che la pintaiota era la corriera. Da quel momento la faccenda m'intrigò: qual era l'origine di quel nome? Mi informai con persone conosciute per la loro cultura ma nessuno seppe darmi una risposta. Nel dopoguerra mio padre divenne uno dei direttori di una grossa azienda che si occupava di trasporti di uomini e cose e aveva assunto come capo officina uno slavo, il signor Kunic, espertissimo nel suo campo. Ero un pomeriggio in officina con un mio amico e non so come venni a parlare della storia della pintaiota. Kunic, che era nei paraggi e aveva sentito il mio discorso, intervenne:

«Si vede» disse «che il primo autobus entrato in servizio da quelle parti era stato fabbricato dalla Lancia. Quasi tutte le macchine prodotte dalla Lancia hanno sigle greche: Lambda, Dilambda, Ro Ro, Tre Ro, Beta, Tau, Esa Tau e via discorrendo».

Aveva indubbiamente ragione, ma io rimasi disilluso, avrei preferito, e certo non da un meccanico, una risposta più arzigogolata filologicamente.

PUCI SICCU MANGIA MACCU   Pulce secca mangia macco. Secca va intesa nel senso di magra e il macco «è vivanda grossa di fave sgusciate, cotte nell'acqua, ammaccate e ridotte in tenera pasta, e infusovi olio» (Mortillaro). Quell'olio infuso che il Mortillaro asserisce componente essenziale, non lo mettevano i padroni quando davano il macco ai lavoranti come calatina. Ci vollero vere e proprie rivolte contadine (in Puglia, per esempio) perché il padrone facesse sul macco «la croce d'olio», una ventina di gocce a formare appunto una sorta di croce sul macco solidificato. Cibo povero dunque, o meglio cibo di poveri, per evitare equivoci con la costosissima cucina «povera» che i dietologi d'oggi prescrivono per dimagrire o per tenersi in forma. Sono parole, quelle che sto citando, applicate a un suono, al fischio breve e modulato con il quale gli empedoclini, i «marinisi», si chiamano e si riconoscono. È una specie di inno nazionale miniaturizzato, appena fuori dalla cinta delle nostre case perde senso, è un fischio come un altro: non certo però per i «marinisi». Possono a prima vista apparire parole insensate e invece il senso c'è, e chiarissimo: la pulce, dimagrita dalla fame, quando mangia non può che mangiare macco. Un mio amico, divenuto importante dirigente di un'industria del nord, andò in missione a New York. Dopo una settimana gli venne voglia di andare a trovare qualche suo compaesano a Broccolino. E si recò a «Muttistrit», che sapeva abitata da «marinisi». Era notte tardi, non conosceva nessuno. Sapeva fischiare forte, e forte fischiò le note di «puci siccu mangia maccu».

Dopo qualche secondo una finestra s'illuminò, un'altra si aprì, da un bar uscì un uomo e gli si avvicinò.

«C'avemu» (che abbiamo), «paisà?».

Poi si ritrovò a tavola a mangiare pasta con le sarde con un vecchio che era stato amico di suo nonno.

RUVINA DI LA ME' CASA!   Rovina della mia casa! Vien detto, ma scherzosamente, di un uomo maldestro nell'accudire certi lavori che sono propri della donna. Sul finire del secolo scorso, durante la festa di san Calogero, tra i banchi di venditori di dolciumi ne apparve uno assolutamente nuovo: vendeva «strattu», cioè conserva di pomodoro ma, cosa mai vista, dentro scatole di latta sigillate. Le femmine di casa sapevano come fare a tenere la conserva: in recipienti di vetro o vasi di terracotta. Di quelle scatole di latta, con dentro la conserva già pronta, ne ebbero subitanea diffidenza E poi:

«U sapi Diu chi fitinzia c'è dintra», lo sa Dio che porcheria c'è dentro.

Non era cosa fatta da gente conosciuta, veniva da lontano, da Napoli addirittura. Il bancarellaro ebbe scarsa fortuna, vendette non più di quattro o cinque scatole ai signori del paese. Una però la comprò Brasi Fradella, contadino di larghe vedute, e se la portò a casa in campagna. La sera, messi a letto la madre paralitica e i quattro figli piccoli, Brasi, rimasto solo con la moglie, sgombrò la tavola, al centro vi pose la lattina ed eseguì le istruzioni del venditore, che erano di mettere un pezzetto di brace sulla parte superiore della scatola, dove c'era un buco ricoperto di stagno. Il calore avrebbe fuso lo stagno formando un'apertura dalla quale la conserva poteva defluire. Stettero in silenzio ad aspettare che la brace facesse il suo lavoro ma non accadde niente. Brasi allora pigliò un pezzo di brace più grosso e lo mise sulla latta. Non successe niente lo stesso. Fra i due cominciò a crescere la tensione.

«Siamo sicuri, Brasi?» domandò la moglie.

Per tutta risposta Brasi posò sulla scatola mezzo tizzone. Niente di niente.

«Brasi, sicuri siamo?» ridomandò la moglie con voce persa.

Brasi sentiva il panico montargli dentro ma essendo uomo non lo voleva dare a vedere. Aspettarono, e poi la moglie tradusse in parole il pensiero di tutti e due:

«Brasi, e se scoppia?».

Uno schiocco improvviso dal focolare spezzò l'ultima linea di resistenza di Brasi.

«Porta fora i picciliddri!» urlò alla donna mentre lui correva a caricarsi la vecchia madre sulle spalle. Svegliati brutalmente, i bambini si misero a piangere, la nonna a gridare a squarciagola.

«Luntanu! Iemuninni luntanu!» principiò a supplicare la moglie. A lei si unirono, senza saperne la ragione, la vecchia e i bambini. Brasi si lasciò convincere. Tutta la famiglia si diresse verso la casa del curatolo di mio nonno. In testa la moglie che si batteva il petto, si strappava i capelli e urlava:

«Ruvina di la me' casa!».

Dietro venivano i quattro bambini scalzi e piangenti, dietro ancora Brasi sempre con la madre sulle spalle che invocava a gran voce l'aiuto di san Calogero. Il curatolo si svegliò, scese, rimase impressionato dalla descrizione dei pericoli corsi dalla sventurata famiglia, li rifocillò, li fece dormire nella stalla. La mattina all'alba il curatolo, che era notoriamente uomo di coraggio, si recò munito di doppietta alla casa dei Fradella, da una finestra osservò la scatola di latta minacciosa e intatta in mezzo al tavolo, prese accuratamente la mira, sparò. La scatola esplose schizzando sulle pareti il suo sangue di conserva, i colpi demolirono la credenza e il servizio buono di piatti che c'era dentro ma i Fradella poterono finalmente tornare in possesso della loro casa. Per il sì e per il no, i resti della scatola furono sepolti sotto due metri abbondanti di terra.

SCANTUSU   Viene da «scantu», spavento, e significa tanto cosa che fa paura quanto chi è di natura pauroso.

Nel 1911 Luigi Pirandello dettò una lapide per l'inaugurazione delle scuole elementari del mio paese, lapide che in una decina di righe condensa il tema de *I vecchi e i giovani*. Nel 1932 (o '33?) venne costruito sempre per le scuole un nuovo e più grande edificio, ma questa volta si vede che Pirandello non aveva nessuna voglia di dettare una nuova lapide: propose che il marmo inciso venisse staccato dalla parete vecchia e murato su quella nuova. Forse, a vent'anni e passa dalla dettatura della lapide, non aveva niente di nuovo da dire in proposito. Assicurò la sua presenza, e fu di parola. E quindi un pomeriggio, verso le tre di dopopranzo, mentre me ne stavo in mutande a leggere un libro della collana Mondadori che si chiamava *Il romanzo dei ra-*

gazzi, e i miei saporitamente dormivano – faceva caldo – sentii bussare alla porta e andai ad aprire. Il cuore mi fece un balzo. Davanti a me c'era un vecchio che mi sembrò gigantesco, con la barba a pizzo, vestito con una divisa che pareva d'ammiraglio, feluca, mantello, spadino, alamari, oro a non finire ricamato dovunque. Non sapevo allora che quella era la divisa di accademico d'Italia. Mi guardò, mi domandò con un accento delle nostre parti:

«Tu sei nipote di Carolina Camilleri?».

«Sì» risposi tremando, quell'uomo era veramente scantusu.

«Me la puoi chiamare? Digli che c'è Luigino Pirandello che la vuole vedere».

Entrai nella camera della nonna, la svegliai scuotendola.

«Nonna, di là c'è uno che si chiama Luigino Pirandello».

La nonna saltò dal letto, buttò stralunata i piedi per terra, ebbi l'impressione che si fosse messa a lamentarsi mentre affannosamente si rivestiva. La sua reazione mi spaventò di più. Corsi in camera da letto dei miei genitori, li svegliai, dissi che di là c'era un uomo scantusu che si chiamava Pirandello e che voleva vedere nonna Carolina. La reazione di papà e mamma letteralmente mi atterrì. Scappai verso un rifugio che sapevo sicuro ma prima ebbi modo di vedere lo scantusu e mia nonna abbracciati, lei piangeva, lui la teneva stretta, le batteva una mano dietro le spalle e diceva che pareva si lamentasse:

«Ah, la nostra giovinezza! La nostra giovinezza!».

Il seguito non lo seppi mai, perché mi nascosi sotto lo scagno di mio padre, mi tappai le orecchie, serrai gli occhi e soffocai i singhiozzi. Poi ci fu la guerra d'Abissinia e io, che avevo dieci anni o quasi, feci domanda di volontario con il mio amico Benuzzu. A casa non ne dicemmo niente e per mesi non ricevemmo risposta.

Poi un giorno mio padre mi disse che il professor Pirandello voleva parlarmi. Sobbalzai, di colpo sudato.

«U scantusu? Il signor Luigino?».

«No, suo fratello».

Innocenzo Pirandello, che insegnava presso le scuole commerciali, era il presidente locale dell'Opera nazionale balilla, alla quale appartenevo. Ma non l'avevo mai visto né alle adunate del sabato né alle grandi manifestazioni.

Mi ricevette a casa sua, non aveva niente di scantusu come suo fratello, anzi teneva uno scialletto sulle spalle e pareva preciso mio nonno (uno scialletto simile a quello che tanti anni dopo, a Roma, avrei visto sulle spalle di suo nipote Fausto, il pittore, che mi onorava di una silenziosa amicizia). Mi consegnò una lettera firmata con la grande M di Mussolini: il duce mi elogiava per aver fatto domanda di volontario, diceva che per ora non aveva bisogno, che mi avrebbe utilizzato in futuro perché non sarebbe mancata occasione di servirsi di un picciotto coraggioso come me. Quando un giorno mio padre portò a casa un giornale nel quale era scritto che Luigi Pirandello era morto e a mia nonna spuntavano le lacrime, io, lo confesso, ne provai un senso di sollièvo, mai più sarebbe apparso di primo dopopranzo a farmi spavento. È questa la ragione per cui, diventato regista, mi sono deciso a mettere in scena assai tardi le opere di Pirandello? Forse, ma il fatto è che, imbattutomi nella prima commedia, da allora mi invischiai nelle altre come una mosca nella carta moschicida, e ci ragionai sopra giorno e notte, e ne scrissi, e ne parlai, e mi ci cimentai sul palcoscenico con alterna fortuna. Nel 1979, in occasione di un mio spettacolo che comprendeva *I giganti della montagna* e *La favola del figlio cambiato*, il critico teatrale del «Tempo», Giorgio Prosperi, scrisse: «Camilleri non solo è un esperto pirandelliano, ma è di Porto Empedocle, lo sbocco al mare di Agrigento. Come dire che lui con Pirandello è di casa, gli dà del tu, e può permettersi libertà del resto autorizzate da lunghissimo studio e frequentazione». È vero che con Pirandello almeno i miei sono stati di casa ed è anche vero che lungamente l'ho studiato e «frequentato». Ma non mi sono mai preso nessuna libertà e non mi è mai passato per l'anticamera del cervello di dargli del tu. Mentre scrivo queste righe mi accorgo di avere quasi la stessa età che aveva lui quando venne a casa mia e io, bambino, andai ad aprirgli la porta: bene, ancora oggi, se a lui devo rivolgermi, gli do del «voscenza», che significa vostra eccellenza.

SCRUSCIU DI CARTA E CUBBAITA NENTI   Rumore di carta e cubbàita niente. La cubbàita è un dolce fatto di mandorle tostate e miele cotto, tagliato a rettangoli o a strisce e avvolto in una spessa carta oleata. I cubbaitari, che provenivano quasi tutti dall'interno della Sicilia, venivano ad allestire al mio paese i loro banchi di vendita resi festosi da ritagli di carta colorata, illuminati a notte da lampade ad acetilene che splendevano nelle sere festive. Vendevano pure il gelato di campagna, coloratissimo impasto di zucchero che niente aveva a che fare con il gelato vero e proprio. C'erano anche i venditori di càlia e simenza (ceci e semi abbrustoliti). Ora i bancarellari, in occasione delle festività, offrono transistor, compact-disc, videoregistratori, videocassette, televisori, computer. Dimenticavo di dire l'ovvio e cioè che il detto viene adoperato a indicare qualcosa che è di bella apparenza ma di nessuna sostanza. Un po' come accade ai giorni nostri dal salumaio, quando un etto di salame viene avvolto nella carta oleata, nella carta marroncina, nella carta bianca pesante e quindi pesato e pagato per l'importo corrispondente. Nelle prime libere elezioni del 1946 io e i miei compaesani andavamo indifferentemente a tutti i comizi, senza distinzione di colore politico. Erano meglio del cinema, attivavano discussioni e ragionamenti a non finire. E qualche candidato, a vedere tutta quella gente in piazza, s'illuse di un vasto consenso. Mancai, per un attacco d'influenza, un comizio atteso, di un leader che si sapeva colto, raffinato, di intelligenti letture. Sarebbe diventato Presidente della Repubblica. Il mio amico Ciccio venne a riferirmene, mi parlò, sinceramente ammirato, dell'eleganza formale dell'oratore, del suo gusto per la citazione colta, della finezza di un'ironia velata a volte da una leggera malinconia, dell'acutezza del pensiero, di un gestire pacato e raccolto. Poi fece una lunga pausa, mi guardò e, come dopo un attento esame di coscienza, concluse: «Scrusciu di carta e cubbàita nenti».

SFUNNAPEDI   Letteralmente: sfonda-piedi. Ma in realtà è il piede ad affondare dentro una buca preparata ad arte. In senso traslato, indica un tranello, un inganno. Gli sfunnapedi erano un gioco crudele che praticavamo d'estate sulla spiaggia. Si scavava, non visti, un fosso di circa sessanta centimetri di profondità e largo quanto un piede, il bordo superiore lo si chiudeva con sottili listelle di canna e sopra di essa si appoggiava una pagina di giornale, occultata a sua volta da un sottile strato di sabbia. La buca diventava così assolutamente invisibile e prima o poi qualcuno vi cascava dentro. Verso i quindici anni mi innamorai di Cettina Infantino, e lei mostrò di gradire il mio sentimento. Non a parole, perché non c'era assolutamente modo di comunicare a voce: ci limitavamo a «licchiare» e cioè a scambiarci lunghe e appassionate occhiate. Venuta l'estate, confidai la faccenda ai miei due amici e questi m'incitarono a «dichiararmi» a parole. Così un giorno, approfittando del fatto che genitori, fratelli e sorelle si stavano facendo il bagno, i miei amici mi convinsero che quello era il momento adatto e mi indicarono una strada tortuosa da percorrere, tra sdraio, ombrelloni e cabine, per non essere visto. Per darmi un'aria disinvolta, comprai un gelato dal venditore ambulante e mi avviai verso la ragazza seguendo accuratamente il percorso indicatomi. Inutile dire che i due mascalzoni mi avevano preparato uno sfunnapedi e a pochi metri da Cettina miseramente franai, spiaccicandomi in faccia il gelato mentre lei era sconvolta da una risata irrefrenabile. Così finì il nostro amore. Cettina qualche mese dopo si trasferì in un'altra città, come del resto feci io dopo l'università. L'ho rivista l'anno scorso al mare, al nostro paese, e stava giocando con un nipotino.

Anche lei fece vista di riconoscermi. Allora mi alzai per andarla a salutare e mentre mi avvicinavo il suo sorriso che stentava a non tramutarsi in aperta risata, spazzava via dalle nostre spalle più di cinquant'anni di vita.

STICCHIU DI ZOPPA U CAVADDRU 'UN AZZOPPA Sesso di donna zoppa non azzopperà il cavallo. Dove chiaramente il cavallo simboleggia il sesso maschile che non si stancherà mai di galoppare. Su questa credenza, che l'atto sessuale con una donna zoppa sia fonte di piacere imparagonabile rispetto a quello con una donna normale, è stato molto scritto e dibattuto. Serissimi studiosi ci si sono messi a tentare di spiegare la convinzione, dandola quindi per certa, dal punto di vista anatomico. Montaigne che aveva testa acuta e razionale, ne ha a lungo discettato: confessò di aver tratto da una zoppa un piacere sublime; ma non seppe spiegarsi se quella sensazione fosse autentica o solo l'effetto di un'idea ricevuta. Un mio amico, ora professore di storia del teatro a riposo, venne epurato come fascista negli anni '45: fra tutti i mestieri che intraprese per sopravvivere, gli capitò di fare l'amministratore di una prostituta alla quale era stata amputata una gamba. Credeva di dover menare vita grama, ebbe invece tra le mani milioni di lire d'allora. L'amputazione, evidentemente, vale più della zoppìa. Il barone Scammacca, noto per l'avarizia, stava dettando nel salone della sua villa il contratto dotale della figlia, che era carina ma zoppa. A un tratto lo folgorò la memoria di quello che si diceva circa le nascoste delizie di una donna claudicante. Fermata la cerimonia, salì di corsa una rampa di scale, si precipitò in cucina, agguantò una cuoca zoppa, la trascinò in un ripostiglio, sempre senza far parola la possedette, ridiscese la rampa, piombò in salone con un gran sorriso beato, ordinò al notaio di rifare il contratto: la dote della figlia doveva essere dimezzata. E tratto in un angolo appartato il futuro genero che protestava:

«Dovresti pagarmi tu» gli disse. «Il letto di mia figlia vale assai più di mezza dote».

SUNNU COSI DI PIRINNELLU   Sono cose di Pirandello. Che Pirandello, anche negli anni precedenti la televisione, fosse delle parti nostre lo sapevano tutti, contadini e pescatori; sapevano pure che era «omu di littra», uomo di lettere, e lo dipingevano, senza averlo mai conosciuto di persona, di natura cervellotica e di tortuoso pensare. Facevano insomma stingere sull'uomo Pirandello i non facili colori dati ai suoi personaggi. Il detto deve avere avuto origine verso la metà degli anni trenta, nel periodo compreso tra l'assegnazione del premio Nobel e la morte, quando il suo nome divenne popolare. Lo si diceva a commento di situazioni familiari intricate, di persone date per morte e improvvisamente riapparse o di persone credute vive che invece erano morte da tempo. Poi le cose sono rapidamente cambiate e tutti hanno creduto di sapere tutto di Pirandello, attraverso spettacoli, conferenze, dibattiti, documentari. Una sera d'estate del 1960 (ero tornato al paese per una vacanza) stavo a guardare alla televisione *Enrico IV* di Pirandello quando bussarono alla porta e si presentò un vecchio contadino: in mattinata mi aveva chiesto il favore di stilargli una lunga e complessa petizione. Fornito dei documenti che mi aveva portato, cominciai a scrivere mentre lui si sedeva davanti al televisore rimasto acceso. Lo vidi via via farsi sempre più attento, chino in avanti, le braccia appoggiate sulle gambe. Finii che anche la commedia era da poco terminata.

«Vi è piaciuta?» domandai.

Fece una smorfia, si raddrizzò.

«Bah! C'è uno che dice di essere imperatore ma non lo è per davvero. Però lo diventa sul serio quando gli fa comodo per scansarsi da un omicidio. E gli altri ora ci credono, ora no. Mi parinu cosi di Pirinnellu».

TALIARI   Guardare. Ma «taliarsi» significa anche che due o più persone stanno intavolando un segreto discorso. Esiste un antichissimo mimo che racconta come due siciliani, arrestati in terra straniera per un certo reato, fossero stati rinchiusi in celle separate perché non potessero parlarsi e concordare una comune linea di difesa. Al momento del processo davanti al re, i due siciliani vennero fatti avanzare a debita distanza l'uno dall'altro, ma a tiro di sguardo. E infatti fulmineamente si «taliarono». Intercettati a volo quegli sguardi, il primo ministro, che era siciliano, gridò:

«Maestà, parlaru!».

Era inutile ogni confronto, i due si erano intesi senza aprire bocca. E c'è da domandarsi perché il siciliano abbia in sommo grado sviluppato questo muto sistema di comunicazione. Una risposta possibile forse è data dalle continue dominazioni che sull'isola si sono susseguite, dai greci alla mafia, e dal dover dunque continuamente difendersi dalle spie del potere. Il siciliano sa benissimo di non potersi fidare nemmeno delle parole; va bene che volano, ma volando volando possono mettere nido nel padiglione di orecchie indiscrete. Stavo mettendo in scena una commedia di Nino Martoglio trasformata in opera lirica da un maestro catanese, Sangiorgi, e avevo con me un bravissimo attore, Turi Pandolfini, che a lungo in gioventù aveva lavorato con Martoglio e Pirandello. È nota la profonda amicizia che per un certo periodo di tempo unì i due. L'arte dell'amicizia siciliana è un'arte difficile, si basa più sul non detto e intuito che sull'esplicito. Raggiunge livelli così intimi che ai giorni nostri possono perfino apparire imbarazzanti. Se Luigi, in data 28 dicembre 1915, conclude una sua lettera così: «il mio cuore è tutto per te. Ti bacio fraternamente tuo Luigi»; Nino non è da meno, la sua lettera datata 16 gennaio 1917 così termina: «Ti abbraccio e ti ripeto la gioia di esserti amico e di sapermi da te amato. Tuo affezionatissimo Nino». Totale è la dedizione reciproca, e proprio perché raggiunge tali vette di amoroso rapporto basterà un nulla, un'occhiata appunto, una parola, un silenzio, perché uno dei due si senta tradito, beffato, umiliato. E dunque domandai a Pandolfini durante una pausa del lavoro che allestivamo a Bergamo, al Donizetti:

«Ma Pirandello e Martoglio, quando stavano assieme, che so, alla prova di una commedia, si parlavano?».

«Sì» mi rispose pronto «si parlavano a lungo, si facevano discorsi complicati, che non finivano mai. Però non a parole».

«E come, allora?».

«Niente. Non aprivano bocca. Si taliavano».

TINIRI U MORTU DINTRA U RIPOSTU   Tenere il morto in dispensa. E non significa per niente avere uno scheletro nell'armadio. Pirandello lo tradusse «avere riposto il morto» e cioè tenerlo da canto. Ma è traduzione imprecisa: il morto sta proprio dentro il riposto, lo sgabuzzino senza finestre dove si conservano le olive in salamoia, l'olio, le sarde sotto sale, cipolle e aglio, certa frutta a lunga maturazione. Riposto è, secondo il Mortillaro, «luogo ritirato e secreto», quasi a nascondere agli estranei quello che si possedeva in beni di sopravvivenza. Dentro, regnava un odore unico e irripetibile, oggi perduto. Si narra di un bambino di cinque anni che, svegliato dal padre per essere condotto a una partita di caccia alle quattro di mattina, incaricato di vedere come si presentasse la giornata, aprì, intontito dal sonno, la porta del riposto invece della finestra e al padre perplesso rispose:

«La giornata è tutta nera e puzza di cacio».

Tenere il morto dentro il riposto significa essere in attesa dell'eredità di una persona sicuramente prossima a morire per età o per malattia. Quel «sicuramente» che mi è uscito dalla penna rappresenta cieca speranza, perché da sempre si son visti bisnonni sopravvivere tranquillamente a stragi di pronipoti. Quando ero piccolo mia madre andava spesso a trovare la sua amica Lina, e mi portava con sé. E fu proprio dalla bocca della signora Lina che sentii per la prima volta questa frase che mi spaventò. Dopo un poco mi venne appetito e domandai qualcosa da mangiare. La padrona di casa m'invitò ad andare nel riposto e a prendermi tutto quello che volevo. Mi rifiutai, e resistetti anche quando mia madre mi picchiò sulle dita. Non avevo nessuna voglia di imbattermi nel morto che la signora Lina conservava nella sua dispensa.

TRAGEDIATURI   Chi fa tragedie, ma non nel senso di tragediografo o drammaturgo. La traduzione letterale sarebbe questa, ma già nel suo *Kermesse* Sciascia opera una sottile distinzione tra due «tragediaturi», quello di area palermitana e quello della più ristretta area racalmutese. Il primo è colui che «tiene i familiari in triboli», il secondo invece è, all'Alfieri, «un ingegnoso nemico di se stesso». Dalle mie parti, a una manciata di chilometri dal paese di Sciascia, «tragediaturi» significa tutt'altra cosa: è propriamente chi organizza beffe e burle, spesso pesanti, a rischio di ritorsioni ancora più grevi. Per intenderci: se fosse stato siciliano, sublime «tragediaturi» sarebbe stato considerato Brunelleschi quando compose (proprio nel senso letterario) e costruì (proprio nel senso architettonico) la sua crudele burla ai danni del grasso legnaiuolo. Spesso il «tragediaturi» per operare ha bisogno di far ricorso a terzi, a mercenari, i quali, in quanto tali, talvolta passano al servizio di chi della beffa subita intende vendicarsi. Un esempio classico: Totò Gomez, «tragediaturi» emerito e verso il quale mezzo paese covava sordi propositi di vendetta, dovette recarsi a Palermo per affari. Si sarebbe trattenuto fuori una quindicina di giorni: per prudenza non disse a nessuno della partenza, si confidò solo con uno che era stato talvolta suo complice. E fu un errore: questi si affrettò a riferire dell'assenza di Totò Gomez a tutti quelli che erano stati vittime delle sue burle: se ne avevano voglia, che ne approfittassero. Le vittime immediatamente si organizzarono in una sorta di comitato, tennero frenetici conciliaboli. Totò era partito un 28 di ottobre: a farla breve, i paesani che il 2 novembre andarono a far visita ai loro morti al cimitero, trovarono un tumulo fresco, la lapide di marmo con la fotografia di Totò Gomez e le date di nascita e di morte, mentre contemporaneamente dolenti avvisi mortuari venivano incollati sulle mura delle case. Poiché Totò Gomez non aveva parenti e viveva da solo, la notizia della sua morte non ebbe smentite, divenne compianta verità.

Gomez, ignaro di tutto, tornò in paese una decina di giorni dopo, che erano le cinque del mattino, era stanco, sentì odore di pane appena cotto, entrò nel forno per comprarsi una «mafalda». Al vederlo, la fornaia cacciò un grido e svenne, i suoi due fratelli, altrettanto spaventati ma più pratici, spalancarono il forno: «Torna all'inferno, anima dannata!».

E gridando, intonando giaculatorie, con forconi e pale volevano costringere il terrorizzato Totò a gettarsi tra le fiamme. Si salvò a stento dalla cremazione.

U IOCU DA MUSCA   Il gioco della mosca. Lo si praticava da maggio a settembre, quando il sole asciugava la spiaggia inumidita dalle piogge d'autunno. Ci si distendeva, sei o dieci ragazzi, in cerchio a pancia sotto sulla sabbia e ognuno metteva al centro, all'altezza della propria testa, una monetina da venti centesimi. Sulla propria monetina ogni giocatore abbondantemente sputava. Poi si restava immobili, magari per ore, in attesa che una mosca andasse a posarsi su un ventino. Il proprietario del ventino prescelto dalla mosca vinceva i soldi puntati da tutti gli altri. Si dava il caso che, durante tutta una mattinata o un pomeriggio, nessuna mosca si facesse viva: in tale circostanza, il gioco veniva ripetuto paro paro il giorno seguente. Era ammesso il condimento della saliva, prima dello sputo, con odori e sapori gradevoli alle mosche quali miele, succo d'uva, zucchero. Bertino Zappulla per qualche giorno ebbe fortuna strepitosa, poi scoprimmo che condiva lo sputo con la sua stessa merda. Venne squalificato. Severamente proibita, durante il gioco, la lettura: il fruscio delle pagine voltate avrebbe potuto indurre la mosca alla fuga o a un cambiamento di rotta. Parimenti proibito parlare. Sono fermamente persuaso che nel corso di questo gioco, durato anni, si sono decisi i nostri destini individuali: troppo tempo impegnavamo nella pura meditazione su noi stessi e il mondo. E così qualcuno divenne gangster, un altro ammiraglio, un terzo uomo politico. Per parte mia, a forza di raccontarmi storie vere o inventate in attesa della mosca, diventai regista e scrittore.

UN CENTIMETRO CCHIÙ, UN CENTIMETRO MENO, NELLA FLABBICA NON PORTA PINIONE   Un centimetro in più o un centimetro in meno nella fabbrica non è importante. Dove per «flabbica» deve intendersi la costruzione in muratura di una casa. Capitan Caci era stato, a suo dire, grande uomo di mare, sosteneva di avere due volte doppiato Capo Horn in circostanze altamente drammatiche. Ma nessuno l'aveva mai visto non dico su una barchetta ma addirittura passeggiare sulla riva: al mare non s'accostava, preferiva tenersi alla larga, solidamente piantato coi piedi per terra. Era invece un buon capomastro e si era messo a costruire casette per i pescatori a uno o al massimo a due piani. Avevano tutte un difetto che era come un marchio di fabbrica: le mura non cadevano mai a piombo e le case pendevano ora da un verso ora da quello opposto. Fra una camera e l'altra c'era sempre bisogno di due o tre gradini per superare il dislivello, il balcone sulle facciate era immancabilmente e assurdamente inclinato. Quando Fofò Allotta si lamentò con Capitan Caci perché uscendo dalla camera da letto la pendenza era tale che andava a sbattere contro la porta del cesso, questi gli rispose nel suo italiano (perché sempre in italiano intendeva parlare) con la frase citata. Nell'alluvione del 1937, le abitazioni del paese vennero quasi tutte travolte: rimasero intatte solo quelle costruite da Capitan Caci e che formavano un piccolo quartiere. Nel deserto di distruzione che le circondava, apparvero come il delirio *en plein air* di uno scenografo espressionista. L'ingegnere venuto da Palermo a constatare i danni e a porre rimedio alla rovina, vedendo quel gruppo di case sbilenche si fece ferma «pinione» che fossero pericolanti e ordinò di abbatterle. Invece ci volle molto denaro e molto lavoro: le «flabbiche» di Capitan Caci erano sì storte, ma solidissime.

UNN'È COSA DI SPARTIRICCI U PANI 'NZEMMULA   Non è uomo col quale spartire il pane. Tra tutte le definizioni negative che di una persona si possono dare, questa è certamente la peggiore. Perché così dicendo la si accusa di non saper nemmeno rispettare le leggi non scritte ma sacre dell'ospitalità: uno divide con un altro un tozzo di pane e questi se ne approfitta indegnamente. Contrariamente a tante altre che si stanno estinguendo, è una razza in via di geometrica moltiplicazione. E l'altro giorno mi dava ragione un titolo di giornale: «Offre ricetto a un cugino e questi gli violenta la figlia di otto anni». E basterà pensare ai cosiddetti pentiti politici che con i compagni avevano diviso, nonché delitti, fughe, rischi, pericoli e soprattutto pane e poi si fecero pronti alla denuncia, alla delazione. Storicamente, uno col quale non era cosa da spartirci il pane era, a mio modesto parere, Nino Bixio, che intascava orologi d'oro nelle case in cui era invitato a pranzo e che diede il meglio di sé a Bronte.

U 'NGRISI SCURDATU E TEMPII   L'inglese dimenticato ai templi. La valle dei templi di Agrigento è meta secolare di turisti di ogni parte del mondo, la frase ha quindi origine da qualche straniero che si distaccò dal suo gruppo, non riuscì più a ritrovarlo e vagò per ore fra i ruderi prima di imbattersi in chi fosse in grado di aiutarlo. Lo si usa dire per una persona che assume aria imbambolata in particolari circostanze e pare non capire quello che avviene attorno a lui. Peppi Gangitano, tragediatore «marinisi», cioè di Porto Empedocle, un sabato pomeriggio si vestì da inglese (pantaloni al ginocchio dentro calzettoni a scacchi, pullover, berretto, pipa in bocca, binocolo in spalla e Baedeker sotto il braccio) e se ne andò ai templi. All'imbrunire fece finta di essersi smarrito e bussò alla porta di una famiglia di contadini, spiegandosi con suoni che assomigliavano all'inglese, perché di quella lingua non conosceva nemmeno una parola. Venne accolto, rifocillato, ospitato per la notte. Visto il buon esito del primo esperimento, ripeté la commedia per un mese di seguito, di sabato in sabato. Il suo divertimento consisteva nel permettersi di fare cose assurde (scorreggiare rumorosamente come segno di ringraziamento, baciare sulla bocca la donna più carina della famiglia come gesto di gratitudine, mettersi a testa in giù e a piedi all'aria prima della cena e convincere qualcuno dei presenti a mettersi nella stessa posizione, vomitare sulla tavola a fine pasto). Poi, con dovizia di particolari, raccontava agli amici le facce degli ospitanti e le loro reazioni. Ma un giorno, in occasione di un battesimo, alcune delle famiglie che avevano ricevuto la visita del finto inglese si ritrovarono riunite e dello strano tipo forestiero parlarono, pervenendo alla facile conclusione che si trattava di qualcuno che si divertiva alle loro spalle. Il sabato successivo Peppi Gangitano non poté vestirsi da inglese, dovette restare al capezzale di un vecchio zio al quale era affezionato. Il caso volle che proprio quel giorno un vero inglese, tale James Gifford, si perdesse ai templi. Bussò a una casa di contadini e venne accolto tra larghi sorrisi, fatto lavare, sedere a tavola, invitato a dormire nella migliore camera e nel migliore letto. Nel più bello del sonno una mano lo toccò gentilmente su una spalla e si svegliò per piombare in un incubo: tra vociate, strilli, imprecazioni, tutta la numerosa famiglia gli si avventava contro picchiandolo con mestoli e manici di scopa. Venne poi spinto a calci fuori della porta di casa e i suoi abiti gli furono scagliati dietro. A piedi raggiunse nottetempo Girgenti. Tornato in patria, scrisse una lettera al «Times» nella quale narrava l'avventura sofferta: data l'inspiegabilità del trattamento subito, ipotizzava trattarsi di un antichissimo rito di ospitalità contadina ed invitava gli studiosi a occuparsene.

U RIMORSU DI VICENZU INCLIMA CA FICI DANNU PEIU DI PRIMA Il rimorso di Vincenzo Inclima che fece danno peggio di prima. Me lo ripeteva mia nonna allorquando, ammazzata una lucertola o vivisezionato un grillo, cadevo in preda a cupi rimorsi e vanamente tentavo di riparare al mal fatto. Vincenzo Inclima era cacciatore accanito: un giorno, sparando a una lepre, colpì di striscio, e con un solo pallino, il dorso della mano di una bambina che era nei pressi. Era proprio una cosa da nulla, a parte il pianto disperato della piccola. Ma la notte Vincenzo Inclima non riuscì a chiudere occhio, assalito dal rimorso di avere provocato quel pianto straziante. La mattina, sceso in paese che era giorno di festa, scorse nella piazza il padre della bimba e mosso da un impulso irresistibile gli piombò in ginocchio davanti battendosi il petto e chiedendogli perdono. Ma il fucile che sempre teneva in spalla, toccata violentemente terra per la punta del calcio, «scasciò», lasciò partire un colpo che impallinò il costosissimo cappello nuovo che l'altro aveva in testa. Evidentemente mia nonna voleva significarmi che certi rimorsi devono restare solo nella coscienza individuale e non tradursi in atti di vana riparazione. Molti anni dopo ne ebbi conferma da Vittorio Bodini, poeta e traduttore egregio del *Don Chisciotte* e di García Lorca drammaturgo. Studente discolo, Bodini scagliò non visto una boccetta d'inchiostro di china contro il busto di Giosuè Carducci che era al centro del cortile della scuola. Pioggia e intemperie non riuscirono mai a cancellare quella macchia. Divenuto poeta di notorietà nazionale, a un suo libro di versi venne assegnato il premio che a Carducci tutt'ora s'intitola. Attanagliato dal rimorso per il suo gesto giovanile, armato di raschietto, scalpello e martello, Bodini si recò nottetempo nel cortile della scuola e tentò di far sparire la macchia. Maldestro e nervoso (sarebbe stato assai difficile spiegare la sua presenza a quell'ora a un guardiano), Bodini a Carducci gli asportò addirittura il naso.

U STICCHIU UNN'AVI NÉ STORIA NÉ MIMORIA   Il sesso della donna non ha né storia né memoria. La sentenza vuole significare la straordinaria capacità di dimenticare che la donna avrebbe. E a chi dalla tesi discorda, si usa raccontare il fatto di Pino il geometra. Nemmeno dieci giorni che si era sposato, Pino dovette partire per l'Abissinia a fare la guerra. Tornò quattro anni dopo e la moglie letteralmente svenne appena lo vide sulla porta di casa. Le manifestazioni d'amore della donna furono tante e tali e così profondamente sincere che il geometra girava per il paese perennemente imbambolato per la felicità. Che raggiunse il culmine quando seppe che sarebbe diventato padre. Ma una mattina, sul tavolo del suo ufficio, trovò una lettera anonima che l'avvertiva dell'infedeltà della moglie durante la sua assenza, per diverse volte e con uomini diversi.

Pino strappò indignato la lettera senza dir niente alla moglie, però cominciò a fare allusioni e mezze domande in giro, lasciando credere che delle infedeltà coniugali qualcosa gli fosse arrivato all'orecchio mentre era in Africa. Qualcuno ci cascò, assentì. Un altro si chiuse nel mutismo, un terzo cambiò discorso. Gli parve d'impazzire e non per il tradimento ma perché sentiva, dal profondo, assolutamente autentico l'amore che la moglie ignara continuava a manifestargli. Ne parlò col suo più caro amico, aggredendolo all'improvviso:

«Magari tu ci sei stato con mia moglie?».

«Io no. Perché ti sono stato sempre amico. Ma certo non è mancato per lei».

«Ma come fa allora a volermi tanto bene?».

«Perché tu ora sei qua, con lei, e lo sticchio non ha né storia né memoria».

Richiamato nuovamente alle armi, Pino prima di partire ebbe commercio carnale con una prostituta che si sapeva «impestata», contrasse la malattia venerea, provvide a contagiarne la moglie. E all'amico sbalordito che domandava spiegazioni:

«Accussì iddru a mia ci pensa».

Così lui (il sesso, e non lei, la moglie) sarà costretto a pensarmi.

Questo volume è stato stampato
su carta Palatina
delle Cartiere Miliani di Fabriano
nel mese di novembre 2003

Stampa: Tipografia Priulla s.r.l., Palermo
Legatura: LE.I.MA. s.r.l., Palermo

La memoria

Introduction.

This short booklet gives basic information on how to make living willow structures for gardens or public spaces.

The first few pages are about willow properties and varieties and how and when to plant for best results. Also how to select a suitable site. The techniques section tells you all about joining willow together and the few tools that you will need. The following pages give ideas and brief notes on various structures which in combination with the earlier section tells you all you need to know to make successful living structures.

Improvise and have fun but a basic understanding of willow will give you a much greater chance of success.

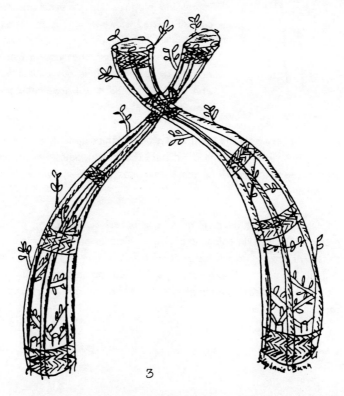

Willow properties.

Willow is flexible and pliable when fresh which makes it ideal for weaving. It can also be dried for storage and then soaked to make it pliable again.

It has been used for making baskets for thousands of years, Small willow figures made by the Anasazi Indians in Southern America have been found which date back to 5 550BC.

Willow rods for live work needs to be treated as a living plant and handled and stored carefully, The best way to store your willow is on the coppice stool and not cut till needed. However this is often not often practical. If you need to keep willow for planting later keep the ends in water and make sure that it is out of the sun and wind otherwise it will dessicate and die.

Willow is a very vigorous plant and growth can be up to 12 feet each year ! Each time the plant is cut back (coppiced), usually every one or two years, it sends up more new shoots. These shoots, rods grow quite straight.

Different varieties have different characteristics of stem colour, growth rate, catkin colour etc. Stem colour is most apparent on first year growth so if the structure is left to go wild the colour will be lost. Modern hybrids grow very quickly but some can be suceptible to fungal infection such as rust. Seek advice from your supplier for suitable varieties for your area.

Useful willows.

Biomass willows have been specially bred for fast growth. The best known is Bowles Hybrid, but it is susceptible to rust and is best avoided.

Viminalis: These can provide nice long structural stems as they are fast growing;   Continental (v. cross Purpurea)
           English Rod
           Stone Osier
           Irish Rod
           Campbells
Also: Rubra (v. cross Purpurea)
           Mollisima
           Mullatin

Reds and Yellows: The albas.
           Britzensis / red (alba)
           Vitellina / yellow (alba)
           Golden willow (alba x fragilis)
           Flander's Red (alba x fragilis)

Mauves: Daphnoides-lovely catkins and grows well in poor soil.
           Oxford Violet
           Continental Purple
           Meikle
           Stewartstown
           Acutifolia

Blacks: Glabra
           Nigricans

Curly: Tortuosa, small, low growing red / yellow willow.
           Erithroflexuosa, vigorous green willow.

Black Catkins:
           Melanostachys

Planting willow.

(see later for growing from cuttings)

Always use fresh willow and plant carefully for best results.

Choose your site carefully to avoid later problems. Willow prefers sunlight and not too much shading. It will tolerate a wide range of soils but not too dry. Don't plant too close to buildings or drains and pipe work, the roots may cause damage.

one or
two year old rod

Weed growth around the willow needs to be controlled, Use a mulch mat, either a commercially produced permeable plastic mat with bark chippings on top or plastic sheet. A biodegradeable method is newspaper topped with straw. Ideally this should extend 1/2 meter (1 1/2 feet) either side. Mulching also helps to conserve water.

A top dressing of fertiliser each year will encourage growth.

1ft - 1ft 6inches

Use an iron bar, spike or post spade to make deep holes. Alternatively dig a trench and plant into this. If the soil tends to be dry incorporate water retaining compost into it. Cutting the end of the rod diagonally makes it easier to push into the soil. After planting firm the soil down.

Willow techniques.

There are many weaves which can be used in willow work. Some are adapted from basic basket-making strokes. Living willow structures are best made using a diagonal interlacing, which gives a more open latticed structure. This has the dual function of positioning the willow at a slant, which makes it more likely that new growth will take place along the length of the stem and leaving the structure more open for new growth to be woven in.

Of course there are no hard and fast rules about weaving willow structures - it's a relatively recent craft and as such very open to invention. Some people prefer to take a much more free approach to their weaving and simply work with the tension of the willow to hold the structure together in a free weave.

The following two pages are a brief summary of the different techniques that can be used.

Willow techniques.

Willow can be woven together and there are many different methods used in basketry which can be applied to larger structures. The simplest is an in and out stroke as used in the willow fence, this is called "randing". Several rods can be woven at once.

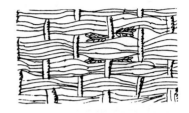

Diagonal interlacing can be used in domes and fences where a simple open weave is needed. This is also the best weave to use in living structures, single diagonal rods send out growth all along their stems. Upright rods tend to grow more from their tops. The cross over points can be lashed with willow, or joined with the "God's eye" using split willow. The tops can be woven in using pairing.

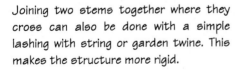

Joining two stems together where they cross can also be done with a simple lashing with string or garden twine. This makes the structure more rigid.

Willow can be easily grafted together. If two stems are held tightly together for a year or more then they will fuse and grow into one.

God's eye join

simple lashing

Basic weaves.

Three rod-whaling; this is a basketry stroke which is very useful for holding upright stakes in place at the base of your structure.

Pairing; this is working with two alternate weavers and is a very strong stroke.

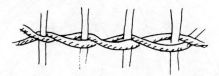

Randing; this is the basic in and out weave which is very useful for covering large areas quickly. It can be done with several pieces of willow at a time.

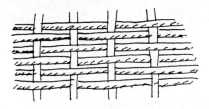

Tools

Not many are needed, the basics are; secateurs, loppers, or a sharp billhook.
A pruning saw and penknife can be useful.
Spade
Iron bar or spike and lumphammer.

Domes

Simple structures for play and shelter from the wind and sun. Great in childrens play areas and can be linked together with tunnels to make a bigger structure. The basic shape can be modified to create animal shapes such as whales and snails.

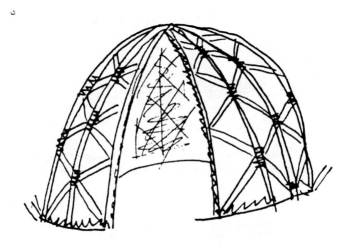

Living structures are best made using diagonally planted willow which sends out side shoots all along its stem.

Using uprights and diagonals creates a strong structure and makes it easier to create a dome shape.

Tie together using willow lashing or split willow to make gods eyes.

Use two or three year rods for the uprights.

Bower

A special place to sit in for repose or secret trysts with your lover.

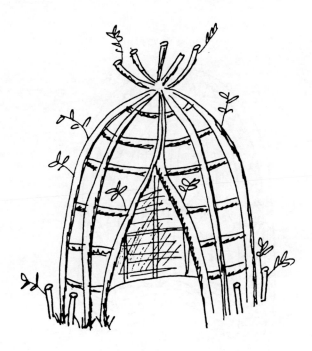

The bower uses similar techniques to the dome. It can be made from diagonals and verticals for a living structure or more closely woven if it is to be non living.

For living structures put in uprights about 9" apart.

Bower with living seat.

A bower makes an interesting feature in the garden and plants such as clematis and honeysuckle can be trained up and over it.

You can weave in an earth seat.

Line the sides with plastic mulch mat and fill with earth.

Plant with grass or moss or for a fragrant seat, thyme.